JN022699

武藤ゆみ子
岡田浩之

AIとうまくつきあう方法

教養としてのＡＩリテラシー

玉川大学出版部

はじめに

人工知能（AI：Artificial Intelligence）の技術は急速に発展し、現在、私たちの社会では、たくさんのAIシステムが活躍しています。たとえば、医療や福祉、災害支援、経済などの分野では、人と関わるAIシステムが活躍し、私たちの未来の社会では、さらに多くのAIシステムの活躍が見込まれています。そのような社会のなかで、これからの私たちは、どのようにAI技術と関わっていけばよいのでしょうか？

1つの手がかりとして、少し「AI」という言葉を忘れて、これまでの私たちの生活における「人とコンピュータとの関わり」の変化を思い出してみましょう。

コンピュータ技術の発展にともない、私たちの社会はいろいろな影響を受けて変わった部分とそうでない部分があります。たとえば、お店の経営では、コンピュータを使って、広告を出したり、売り上げを計算したり、文書を書いたりなど、便利なソフトウェアを用いて自分たちの作業を自動化する部分が増えてきました。しかし、その一方で、商品を売り上げていく戦略を立てるためには、人間が売り上げデータを見ながら、良い提案を示すことも必要不可欠です。このように、「コンピュータが自動化して作業する部分」と、「人間がデータから考えて提案を示す部分」の両方があります。つまり、コンピュータで身近ないろいろなことが自動化できるようになっても、結局は、それを扱うのは人であり、社会のなかで技術とうまくつきあうための教養をもつことが、人が社会で活躍するために大切ですね。

「AI 技術」では、コンピュータに大量の学習をさせて自動的に答えを出すような「機械学習」を用いた方が解決しやすい部分と、そうでない部分があります。また、正しく機械学習を行うためには、「入力」とするデータへの正しい知識が必要です。さらに、「出力」として得られた結果が正しいのかどうかを正しく「評価」することも必要です。これには、データを扱うための正しい知識（データサイエンスの基礎）が教養として必要です。

この本は、「AI が怖い」と思っている人から、「AIって何だろう？」と知りたい人、「AI 技術を使ってみたい」「AI 技術で何か作ってみたい」とワクワクしている人、「AI 技術をビジネスに活用してみたい」と思っている人……すべての人たちに向けて AI を教養として学ぶことの大切さを伝えるために書きました。

私たちが目指す「AI リテラシー教育」は、AI 技術とうまくつきあうために「AI が得意なことと苦手なことを教養として知ること」と、私たち人間が「科学的にデータを扱うための教養としての知恵をつけること」の両方がかけあわさってこそ実現すると考えています。

この本で得られた知識が、すべての児童・生徒・学生・先生方だけではなく、さまざまな分野の大人の方々にとって、日々の生活で役に立つ「知恵」となりますように願っています。

武藤ゆみ子・岡田浩之

目　次

はじめに　3

Prologue 教養としての AI リテラシー　6
1. AI を教養として学ぶ前に　8
2. AI システムの基本　10
3. AI は人の仕事を奪う？　12
4. 社会で活躍する AI　14

Basic 1　論理的に考える方法 ―― 19
1. 比べる　22
2. 仲間分け　24
3. 枝分かれと木構造　26
4. 原因と結果　29

Chapter 1　知覚とセンサ　31
1. 人間の知覚　34
2. 動物の知覚　36
3. コンピュータの知覚　38

Basic 2　システムをデザインする方法 ―― 43
Chapter 2　推論　49
1.「推論」って何？　52
2. 演繹的推論と帰納的推論　54
3. 仮説推論（アブダクション）　56
4.「探索」迷路をとく　58

Chapter 3　機械学習　63
1. 教師あり学習　66
2. 学習と予測　68
3. 分類と回帰　70
4. その他の機械学習　72

5. ニューラルネットワーク 74
6. 深層学習（ディープラーニング） 78
7. 画像認識・物体認識 84

Basic 3 データを扱う方法 87
1. データの基本 90
2. 学習データの扱い 92
3. 機械学習データ作成の体験 94
4. 学習データのバイアス（偏り） 96

Chapter 4 自然なインタラクション 99
1. 音声認識 102
2. 自然言語処理 104
3. 人の対話の難しさ 108
4. 感情認識 110
5. 人と関わるロボット 112

Basic 4 いろいろな視点で考える方法 115
1. 自分にとっての「一番良い」を整理する 118
2. みんなの「一番良い」を比べる 120
3. 自分と関わる人の立場の視点で考える 122
4. 意見を 1 つにまとめる 124

Chapter 5 AI の社会的影響 127
1. 広告表示システム 130
2. おススメユーザー表示システム 132
3. 顔認識・感情認識 134
4. 社会の変化と AI 136
5. デジタルトランスフォーメーション（DX） 140

解説 142
おわりに 144
引用・参考文献、参考図書 146

Prologue 教養としてのAIリテラシー

人工知能（AI：Artificial Intelligence）の技術は急速に発展し、現在、私たちの社会では、たくさんのAIシステムが活躍しています。社会でAI技術とうまくつきあい、活用していくためには、どうしたらよいのでしょうか？

私たちが目指す教養としての「AIリテラシー教育」は、AI技術とうまくつきあうために「AIが得意なことと苦手なことを教養として知ること」と、私たち人間が「科学的にデータを扱うための教養としての知恵をつけること」の両方がかけ合わさってこそ実現すると考えています。AIの基礎知識を深く理解するためには、科学的にデータを扱い、論理的に評価・分析する力も必要です。本書では、この2つの視点に基づく学びを「AIリテラシー」と定義しています。

【教養としてのAIリテラシー】

① 人工知能AIの知識
② 科学的にデータを扱い、論理的に評価・分析する力

} **社会における知恵**
医療・福祉・ビジネス

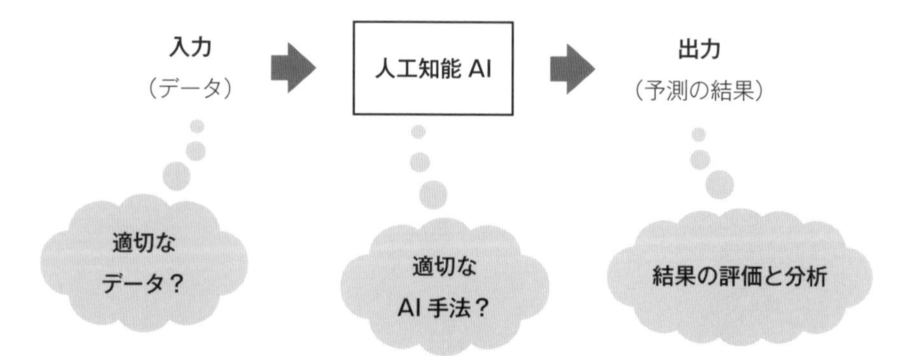

人工知能って何？

「人工知能（AI)」という言葉を新聞やテレビ、インターネットでよく見かけるようになりました。

これまで、「AI」という言葉がテレビや映画で、人間と同等かそれ以上のロボットなどに対して使われることが多く、「AI」という言葉が、人を表すかのように擬人化されて使われていることがありました。

しかし、「人工知能（AI)」というのは、今みなさんが使っているパソコンやスマートフォンを使って、計算したり、文字を書いたり、知識を調べたり、文書や写真を保存したり、地図で自分のいる場所がわかったり……そのような技術の延長です。

人間が農業をする際に、機械の力を借りてきたように、
人間が記憶をする際に、機械やコンピュータで文字や写真を保存し、
人間が計算や知識を調べるように、コンピュータを使っています。

専門的には、記憶・推論・判断・学習などをコンピュータで行うための研究や、その研究開発によって提案された新しい技術を「人工知能（AI)」と呼んでいます。

AIを教養として学ぶ前に

現在、AI システムは、社会（医療・福祉・経済 / ビジネスの分野など）において、幅広く活用されています。たとえば、新商品の開発やマーケティングなどのときに、新しい AI システムを導入・活用していく場面があります。このように「AI システムを活用する」という観点に立ったときに、AI の知識に加えて、科学的にデータを扱い、論理的に評価・分析する力が少し必要になります。

☑「人工知能 AI の知識」
☑「科学的にデータを扱い、論理的に評価・分析する力」

このようなことから、本書では、AI リテラシーを効果的に学べるように、Basic 1〜4 を取り入れています。

「Basic 1　論理的に考える方法」「Basic 2　システムをデザインする方法」
「Basic 3　データを扱う方法」「Basic 4　いろいろな視点で考える方法」

データサイエンスの領域はとても広いので、本書では AI を理解するために必要な基本の部分のみを取り入れましたが、さらに興味がある人はぜひ学んでみてください。

（豆知識）　～データサイエンティスト～

さまざまな意思決定の局面において、データに基づいて合理的な判断を行えるように意思決定者をサポートする職務またはそれを行う人のこと。

（出典：SAS Institute Japan, https://www.sas.com/ja-jp/home.html）

AIを学ぶための5つのビッグアイディア
(Five Big Ideas in AI)

(出典：https://ai4k12.org/)

K-12（幼稚園〜高校生）の教育におけるガイドライン

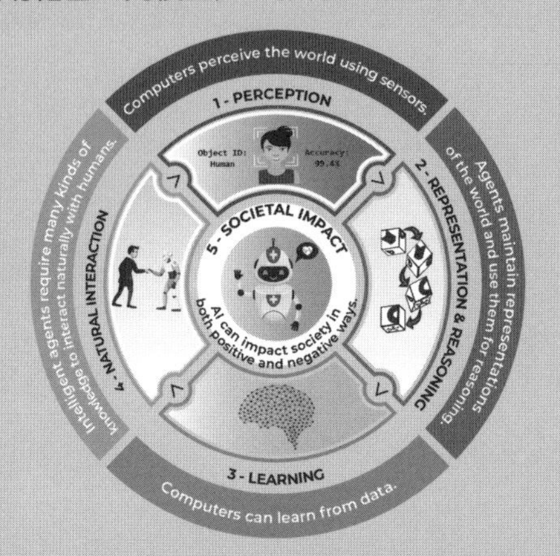

AI の学びについては、本書では、米国のカーネギーメロン大学のトゥレツキー（Touretzky）教授らが作成した AI 教育ガイドライン（“Five Big Ideas in AI”）に基づきます。ただし、日本と米国での教育文化の差や、身近な状況の違いなどを考慮して、日本の学びに適する形で学ぶことができるように工夫されています。

5 つのビッグアイディア

1. 知覚　Perception
2. 推論と表現　Representation and reasoning
3. 学習　Learning
4. 自然なインタラクション　Natural interaction
5. 社会的影響　Societal impact

2 AIシステムの基本

「システム」には、必ず「入力」と「出力」があります。

たとえば、電気のスイッチのシステムでは、「入力」は「スイッチを押す」、出力は「電気がつく」ということになります。そして、そのなかには、スイッチを押せば電気がつく「しくみ」があります。この「しくみ」のことを、コンピュータの世界では「アルゴリズム」と呼びます。

【システムの基本】

「システム」：与えた入力から目的の出力を自動的に生成するしくみ

「入力（インプット）」→「しくみ」→「出力結果（アウトプット）」
（アルゴリズム）

【ポイント】システムを理解するには、3つを考えよう

①与えた「入力」は何か？…… **何が入力なのか？**

②目的の「出力」は何か？…… **何を目的とするのか？**

③「しくみ（アルゴリズム）」は何か？…… **どんな方法や手順なのか？**

AI システムを考えてみましょう。

AI システムは、「AI」の「システム」ですから、入力と出力があるところはシステムと同じで、「しくみ」（アルゴリズム）に AI の方法が用いられるという特徴があります。

入力

しくみ
アルゴリズム
（方法・手順）

「りんご」
と認識して表示
出力

【ポイント】AI システムを理解するには、3 つを考えよう

①与えた「入力」は何か？…… **どんなデータ（画像・数値）が入力なのか？**

②目的の「出力」は何か？…… **何を予測することを目的とするのか？**

③「しくみ（アルゴリズム）」は何か？…… **どんな AI の方法や手順なのか？**

※ AI システムの「しくみ（アルゴリズム）」の 1 つに「機械学習」という方法があります。機械学習は、画像や音声などの大量のデータを入力して、その写真や音などが何なのか、を予測するための 1 つのしくみ（アルゴリズム）です。

3 AIは人の仕事を奪う？

AIを大きく2つに分けると、「ANI（特化型AI）」と「AGI（汎用AI）」に分けられます。現在のAIの研究や開発は、一般的には「ANI（特化型AI）」です。

特化型AIは、ある特定の作業を行うことに特化したAIです。

たとえば、音声認識を使ったAIスピーカー・カメラを用いたスマートフォンの顔認証・インターネット検索システム・迷惑メールフィルタなど、身近なAIシステムはすべて特化型AIといわれます。

一方、「汎用」というのは、広くいろいろな物事に対応できることをいい、映画やアニメで出てくるように想定されていない課題に対しても人間のように対応できるAIのことを「AGI（汎用AI）」と呼びます。1つの仮説として、2045年頃に、AIが自分で進化するようになるなどがいわれていますが、現状で多くの研究者は、実現は非常に困難であると主張していますので、現在のAIは基本的に特化型といえます。

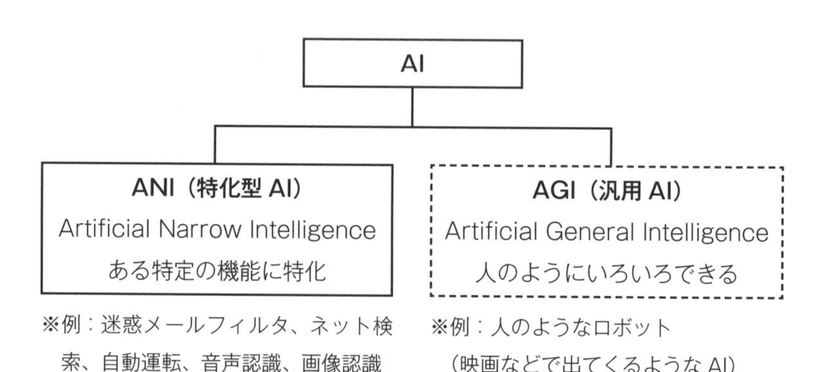

では、AI システムが人の仕事を奪うのかどうかを考えてみましょう。

コンピュータ技術の発展にともない、私たちの社会では、いろいろな影響を受けて変わった部分があります。たとえば、お店では昔は、「そろばん」で計算をしていましたが、現代では「レジ」に替わりました。計算を自動化して正確に行うことができるようになり、お客様への対応などの複雑な仕事に時間がかけられるようになりました。また、銀行窓口でお金を引き出す作業は、「ATM（現金自動預払機）」で早く正確にできるようになりました。そのぶんの時間や手間を削減し、銀行のなかの自動化できない仕事を人間が行うことで、仕事の合理化ができるようになりました。

しかし、一方で、たとえば、掃除機の発展で掃除をする人の仕事が失われたと考えることもできます。また、手書きで文書を作成していた人の仕事は、コンピュータで文書作成が容易にできるようになって、失われたかもしれません。

このように、「AI は人の仕事を奪う？」という質問には、「特定の職業自体がなくなるというのではなく、作業の一部のなかで自動化できることは自動化されていく……」ということが回答に近いと思います。

ただし、現状の最も大きな問題は、人と AI の共存する社会に向けて、人々の理解と社会システムの対応がまだ十分に追いついていないということです。これについての対策は必要で、AI リテラシーを多くの人が学ぶ必要があるのではないでしょうか。これまでも医療や福祉、災害支援などの場面も含めて幅広く「機械が人を助けてきた」ということにも目を向けて、人と AI が共存できるように、想定外の問題が起きたときに社会全体で迅速に解決できるように備えることも大切です。

4 社会で活躍するAI

私たちの身近には、たくさんのAIシステムが活躍しています。

たとえば、医療・福祉・災害支援・経済などの分野で人を助けるAIシステムが活躍しています。今後、私たちの未来の社会では、さらに多くのAIシステムの活躍が見込まれています。

「脳の画像から脳動脈瘤（りゅう）の診断」をサポートするAI

AIの深層学習（ディープラーニング）の方法を使い、大量の脳のMRI画像（磁気共鳴画像）から、脳動脈瘤の疑いを予測します。

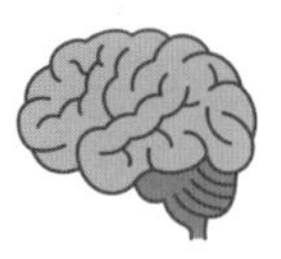

AIは、大量の画像を機械的に細かくチェックすることができるので、医療現場でAIを活用することにより、「動脈瘤の疑いの見落とし」などを大幅に減らすことができます。

★このAIシステムの「入力」と「出力」は何でしょう？

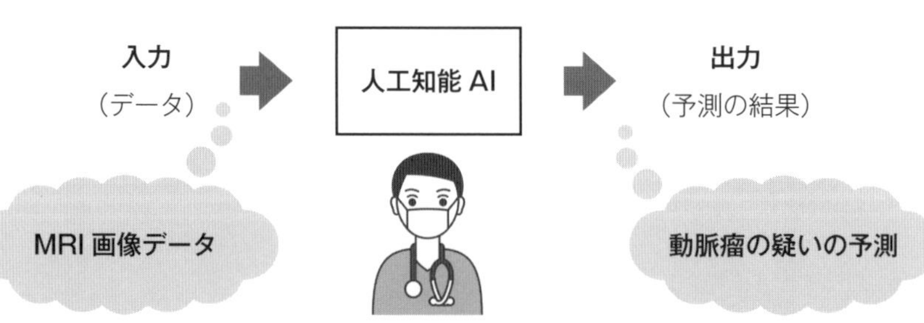

AIシステムの「入力」と「出力」を考えると、深く理解ができるね！

「津波浸水予測」を行う防災 AI

AI は、過去の津波のデータや津波のシミュレーションデータを学習します。その学習データをもとに、実際に震源地付近で津波が観測されたときに、AI は津波がいつ、どのくらいの高さで各地に押し寄せるのかを予測します。

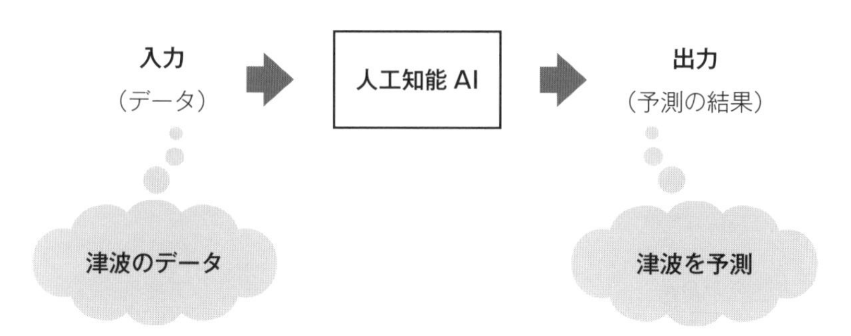

「おススメ広告」を表示する AI

インターネットショッピングの過去の購入履歴や閲覧履歴などから、その人が好きそうな広告を予測して表示する AI システムです。その人が興味をもちそうな広告を表示させられるので、効果的に宣伝活動ができます。

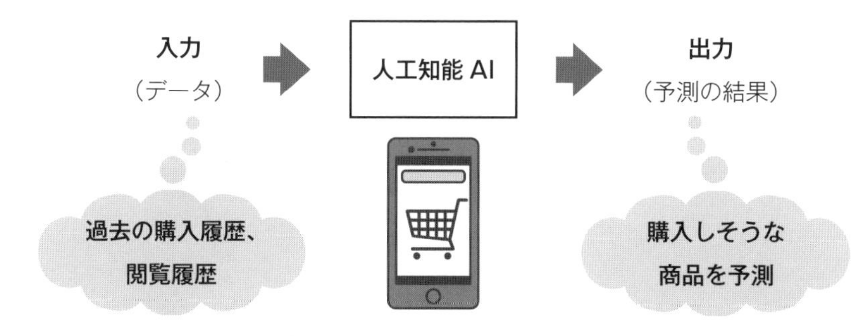

工場の製造ラインで「食品の不良品」を検知するAI

工場の製造ラインで流れてくる食品の映像から、AIが良品と不良品を分類します。

画像認識のしくみを使って、大量の良品と不良品のデータから、流れてくる食品が良品か不良品かを予測します。正確に速く分類できます。

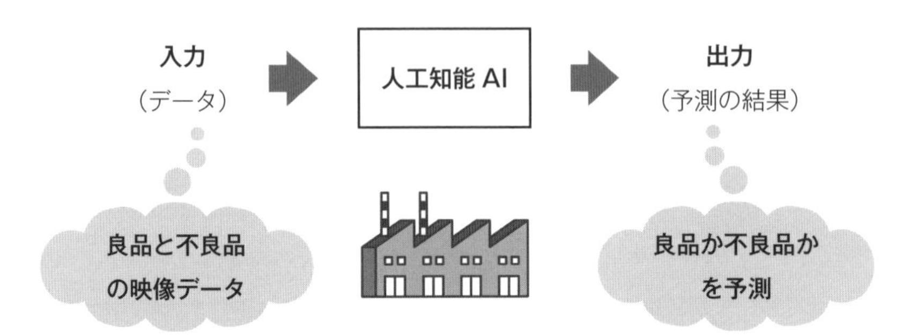

迷惑メールを見つけるAI

届いたメールのなかから、迷惑メールを見つけます。

その人が過去に迷惑メールと判断したメールや、一般的に迷惑メールと判断されるような内容のメールの特徴をもとに、そのメールが迷惑メールかどうかを予測します。

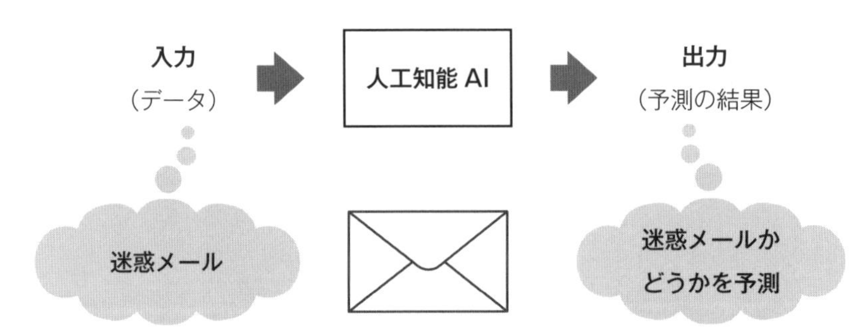

株価予測 AI

過去の株価のデータから、株価の変動を予測するAIです。

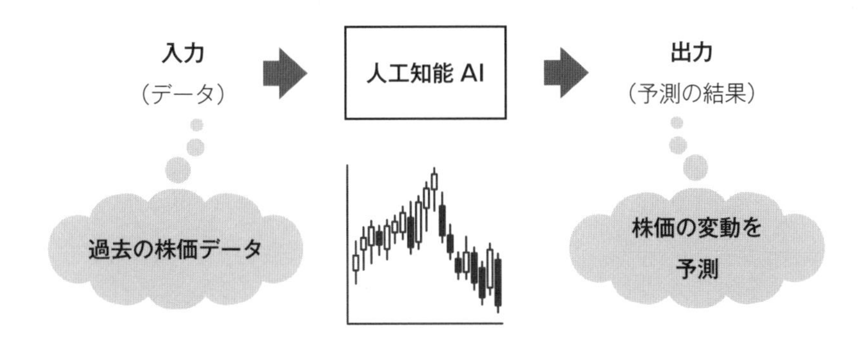

AI スピーカー

話し手の言葉を認識して(音声認識)、言葉を理解して音声で返事をします。このように人が話した言葉を理解して処理することを「自然言語処理」といいます。人の言葉から、どのような返事をすべきか予測して回答します(例:人「今日の天気は?」、AIスピーカー「晴れです」)。

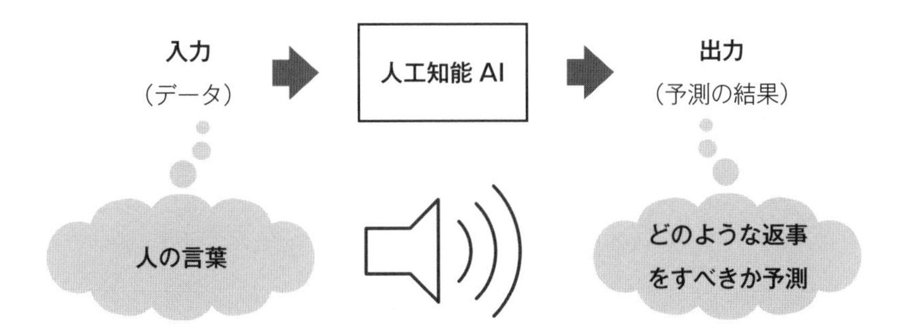

Basic 1

論理的に考える方法

AI リテラシーを学ぶための土台作りからスタートしましょう。

「論理的に考える」ことは、私たちの日常生活においても、自分の考えや物事のしくみを表現するために、とても役に立ちます。

AI では、「推論」や「判断」を行いますが、「どのようなしくみで行われているのか？」を理解するには、論理的に考える土台があると、とても理解がスムーズです。

～論理的に考える～

①「比べる」
②「仲間分け」
③「枝分かれと木構造」
④「原因と結果」

①「比べる」ことによって、観察力を身に付け、得た情報を整理します。
②「仲間分け」では、カテゴリーに分類することで、具体・抽象の関係を整理する力を身に付けます。
③「枝分かれと木構造」では、②の「仲間分け」で表しきれなかった複雑な仲間分けを枝分かれで表現し、それが複雑な関係を整理する力になります。
④「原因と結果」は、原因と結果の関係を見つけることにより、システム思考の基本を身に付けます。

また、論理的に考えることは、AI 技術をいろいろな人の視点で評価するときにも必要です。すでに、社会における AI 技術には、必ず正の影響と負の影響の両方があるといわれています（Touretzky et al., 2019)。このような影響を考察していくうえでも、論理的に考えることが大切になります。

たとえば、インターネットでの「広告表示」は、過去のクリック履歴や個人情報などから、みなさんが好きそうな広告を予測して表示されています。

すなわち、利用する人にとって便利なシステムである一方で、企業側の利益という経済的事情が背景としてあります。このような正と負の影響について、自分以外のいろいろな人の視点で論理的に考えていくことが、トラブルを未然に防ぐために有効です。

比べる

たとえば、地球と火星の違いを比べてみましょう。

大きさ・気温など、さまざまな点について比べると、地球と火星の特徴を整理することができますね。

このように、比べることによって観察力が身に付き、得た情報を整理する力になります。さまざまな点について比べることは、論理的に考える第一歩です。分析力をやしない新しい発見や研究をする手がかりにもつながります。

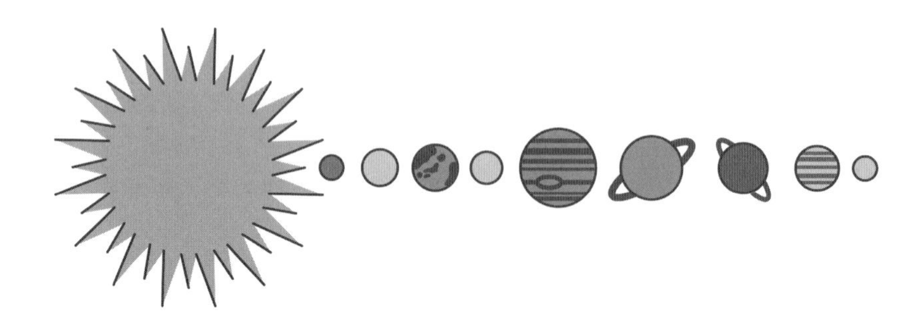

～国語で考えてみよう～

「一方 / それに対して」を使って考えてみよう。

（例）地球の平均気温は、約 15 度である。

　　一方（それに対して）、火星は、－ 55 度である。

比べる表を作ってみよう！

次の文章を読んで、地球と火星を比べる表を作りましょう。

地球と火星の比較（数値の出典：国立天文台 https://www.nao.ac.jp/）

1. 半径は、地球が約 6378km に対して、火星は約 3396km です。
2. 自転周期は、地球が 23 時間 56 分に対して、火星は 24 時間 37 分です。
3. 公転周期は、地球が 365 日に対して、火星は 687 日です。
4. 質量は、地球を 1 としたときに、火星は 0.1074 です。
5. 太陽からの距離は、地球が 1 億 4960 万 km に対して、火星は 2 億 2790 万 km です。

表の作成

	地球	火星
1. 半径		
2. 自転周期		
3. 公転周期		
4. 質量		
5. 太陽からの距離		

2 仲間分け

　同じ形の大きいマトリョーシカのなかには、小さいマトリョーシカが入りますね。抽象的なカテゴリーを具体化したカテゴリーに仲間分け（分類）することによって、抽象・具体の関係を整理する力になります。

　たとえば、情報の整理には、この方法がとても大切です。
　また、人工知能の機械学習などは、同じ特徴を見つけて、うまく仲間分け（分類）するという考え方が基本となります。

　それでは、関係を整理する力をつける第一歩として、仲間分けを学びましょう。

ネコ
シャム猫
ペルシャ猫

イヌ
柴犬
チワワ

四角形
平行四辺形
ひし形
正方形

～国語で考えてみよう～
「たとえば」（抽象→具体）
（例）「ネコ」。**たとえば、**シャム猫やペルシャ猫。
「すなわち / つまり」（具体→抽象）
（例）柴犬、チワワ。**すなわち（つまり）**、犬。

仲間分けをしてみよう！

1. 乗り物の仲間分け（分類）をしましょう。

左のリストを参考に、右図に関係を整理しましょう。(　　) を埋めましょう。

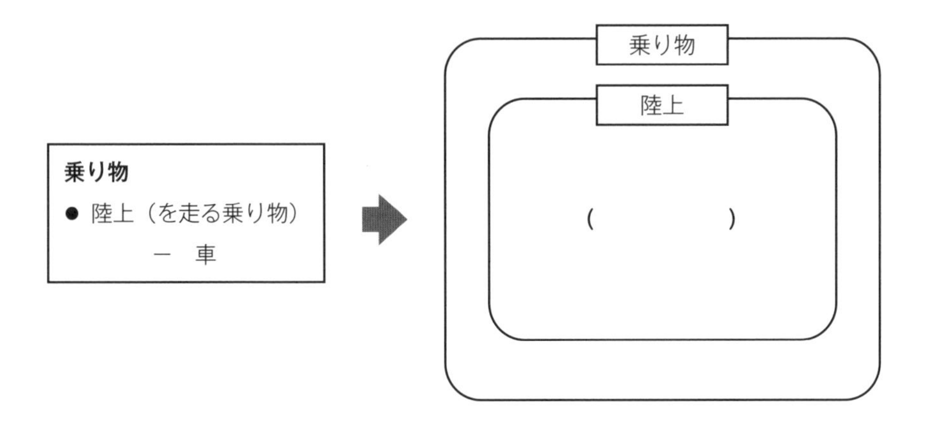

2. 野菜の仲間分け（分類）をしましょう。

左のリストを参考に、右図に関係を整理しましょう。(　　) を埋めましょう。

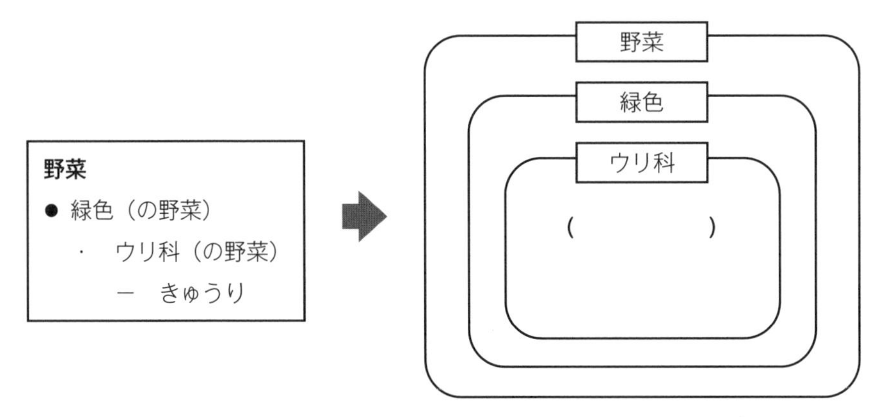

※このマトリョーシカのような仲間分けを「入れ子構造」と呼びます。

3 枝分かれと木構造

木の「根」から「葉」までたどっていくと、
たくさんの枝が分岐していることに気づきます。
このような構造を「木構造」（ツリー構造）と呼びます。
この構造を使うと、マトリョーシカの仲間分けでできないような、
複雑な仲間分けを「分岐」を使って表現していくことができます。

（例）「植物」の分類を見てみましょう。

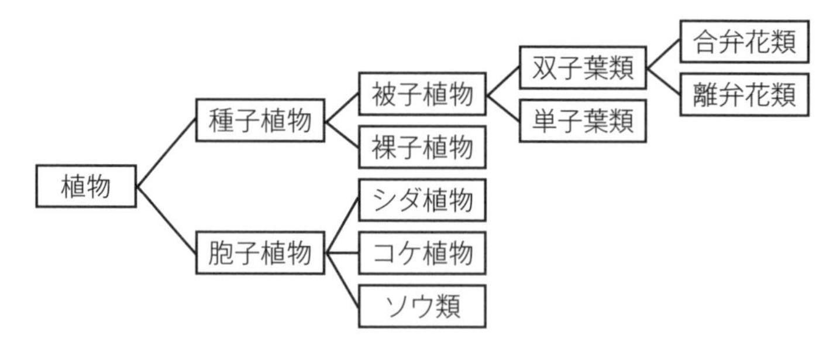

この植物の分類を文章で書いてみると…

植物は、大きく分けて、「種子植物」と「胞子植物」に分けられます。

「種子植物」には、「被子植物」と「裸子植物」が含まれ、「被子植物」には「双子葉類」と「単子葉類」があります。さらに、「双子葉類」は、「合弁花類」と「離弁花類」に分けられます。「胞子植物」には、「シダ植物」「コケ植物」「ソウ類」があります。

図の方が、関係が整理しやすいことがわかりますね。

文章を木構造で整理しよう①

次の文章を木構造に表現してみましょう。(　　　)を埋めましょう。

日本の１年は、「春」「夏」「秋」「冬」に分けられます。
一般的に「春」は、「３月」「４月」「５月」です。
「夏」は、「６月」「７月」「８月」です。「秋」は、「９月」「10月」「11月」です。「冬」は、「12月」「１月」「２月」です。

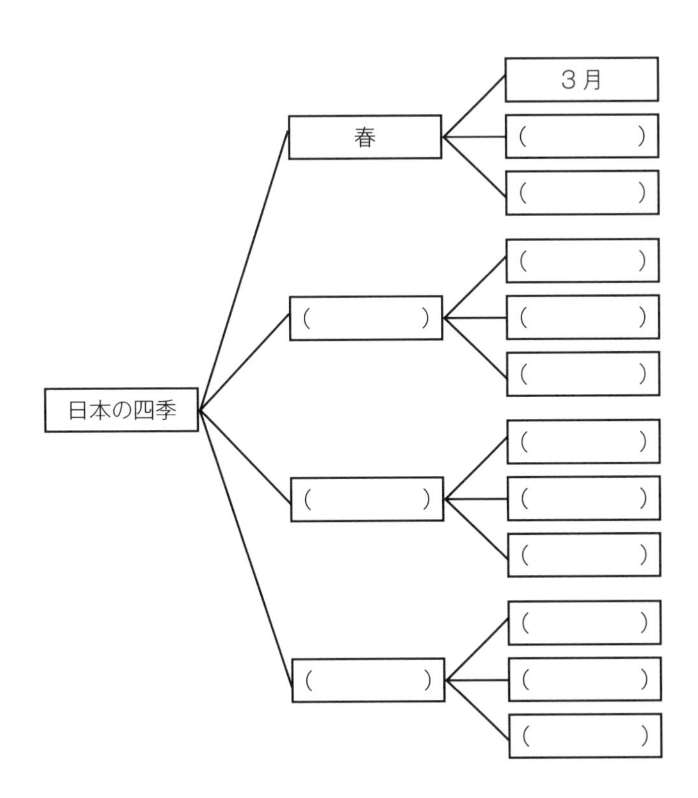

文章を木構造で整理しよう②

次の文章を木構造に表現してみましょう。(　　　)を埋めましょう。

さいころを２回ふります。

１回目、「さいころの目」が１、３、５の「奇数」の場合、２回目も「奇数」なら「中吉」とします。２回目が「偶数」の場合は、「小吉」とします。

一方で、１回目、「さいころの目」が２、４、６の「偶数」の場合、２回目も「偶数」なら「大吉」とします。２回目が「奇数」の場合は、「凶」とします。

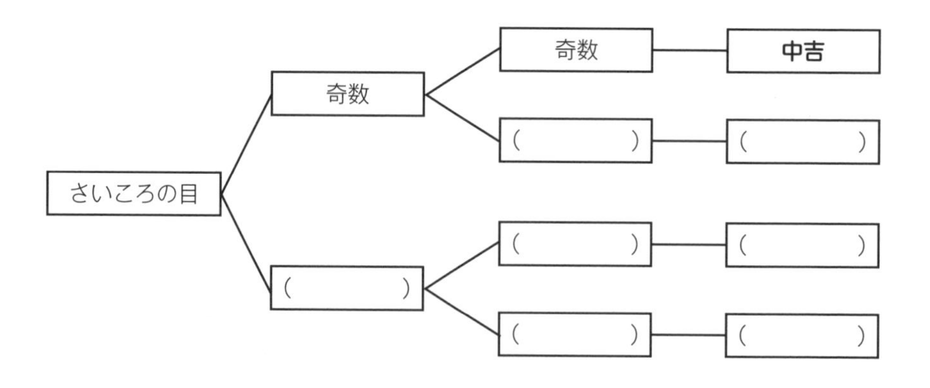

文章を論理的に考えるとき、
マトリョーシカのタテの関係だったね。
木構造では、横の階層を整理できるよ。
(例) １回目も２回目も「奇数」だった。
だから、「中吉」だった。

4 原因と結果

結果には、原因があります。

「スイッチを入れた」**その結果**「電気がついた」

【原因】
スイッチを入れた

その結果 →

【結果】
電気がついた

※逆の関係を表現すると……

「電気がついた」**なぜなら**「スイッチを入れた」

（例）パソコンで文字を打った。その結果、文章が表示された。

【原因】
パソコンで文字を打った。

【結果】
文章が表示された。

※「何が原因なのか？」「何が結果なのか？」を分けて考えよう。

このような原因と結果がある関係を因果関係といいます。

気をつけよう

因果関係と相関関係

チョコレートを食べればノーベル賞が取れるのか？

2012年フランツ・メッサーリは、「22か国の国民1000万人あたりのノーベル賞受賞者」と「チョコレートの消費量」との間に正の相関関係（r=0.791）があることを示し（Messerli, 2012)、議論が巻き起こりました。

右図のように、値をグラフに描くと、右上がりの関係が見られる図（散布図）は、「相関関係」と呼ばれ、原因と結果の関係を示す「因果関係」ではありません。

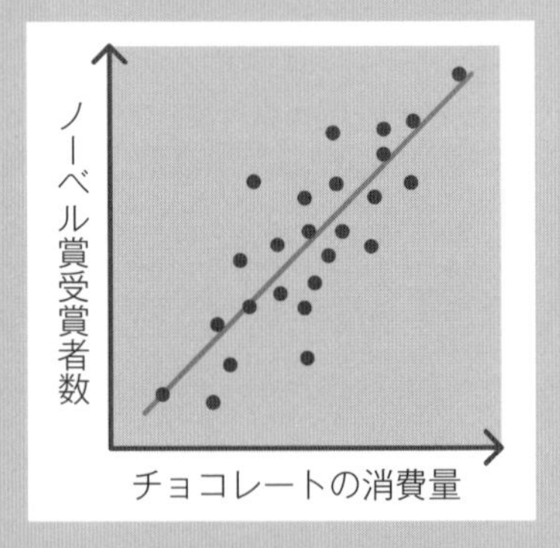

つまり、「『チョコレートの消費量が増える』**その結果**『ノーベル賞受賞者が増える』」という関係とはいえません。もし、裕福な国ほどチョコレートの消費量が増えていることが原因なら、正しい因果関係は、そこにあります。相関関係には、①他に原因となる要素がある、②たまたま同じ傾向……ということがありえます（Prinz, 2020)。

Chapter

1

知覚とセンサ

私たちの生活のなかには、「センサ」がたくさん活躍しています。

たとえば、エアコンは、「温度センサ」を使って部屋の温度がわかるので、涼しくしたり暖かくしたりなどの温度の調整をします。電子レンジは、食材の重さで加熱時間が決まるので、「重量センサ」が活躍しています。

私たち人間が、「見る」「聞く」「触る」などから得た情報で行動するように、機械もさまざまな「センサ」から情報を得て、機械を動かしています。「センサ」は、機械が周りの状態や物体の特徴や構造などを知るために必要です。

AI システムにも「センサ」が活躍します。

コンピュータは、「センサ」を通じて、周りの状態や物体の特徴や構造などを把握しています。それを「知覚」（感覚〔センサ〕で知る）といいます。

あなたの生活では、どのような家電などの製品が活躍していますか？

「どんなセンサが使われているのだろう？」と考えながら、「しくみ」を探ってみましょう。それが AI システムを知るための重要な第一歩となります。

この Chapter 1 には、そのための手がかりがあります。

身近な家電製品のセンサを考えてみよう！

電子レンジ
重さを量る：「重量センサ」
温度を測る：「温度センサ」

冷蔵庫
温度を測る：「温度センサ」
扉が開いていると音が鳴る：「扉開閉センサ」

加湿器
湿度を測る：「湿度センサ」

ガス警報器
ガス漏れを検知：「ガスセンサ」

火災報知器
煙を検知：「煙センサ」

自動運転の車や AI 掃除機・さまざまなロボットなどには、
たくさんのセンサが搭載されています。

AI システムには、「センサ」がとても重要です。
人間の「知覚」のしくみを考えながら、
コンピュータの「知覚」のしくみを考えてみましょう。

1 人間の知覚

人間の五感には「視覚」「聴覚」「味覚」「嗅覚」「触覚」があります。
見たり、聞いたり、味わったり、においをかいだり、触ったり……

たとえば、目の前に、「りんご」があるとします。
私たちは、なぜ「りんご」だとわかるのでしょうか？

「入力は何か？」「出力は何か？」と整理して、しくみを考えてみましょう。

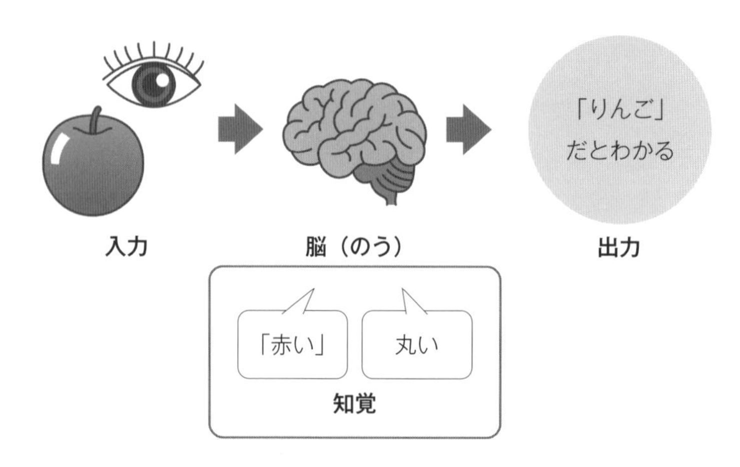

①「入力」：目で「りんご」を見る。
②「脳」：りんごの色や形を知覚する。その知覚した結果と、過去の経験などの記憶から、「りんご」とわかる。つまり、「りんご」と認識。
③「出力」：「りんご」だとわかる。

「知覚」って何？

脳が五感を使って、「赤い」「丸い」など、特徴をとらえます（大きさ、動き、熱さ、重さなど……）。

知覚とは、その物体の特徴や構造がわかること。

（例）**「これは何でしょう？」**

①特徴を知覚する

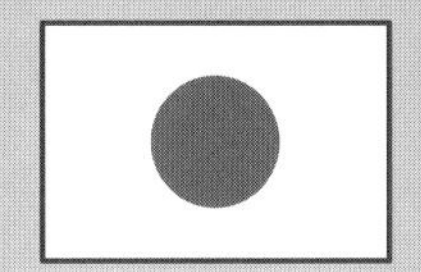

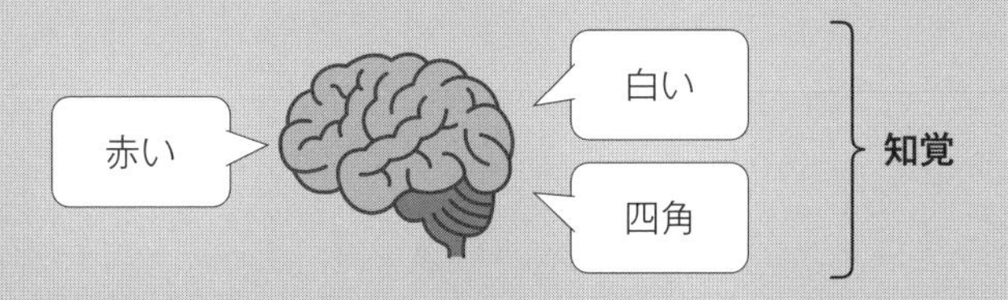

②「日本の国旗」であると認識できました

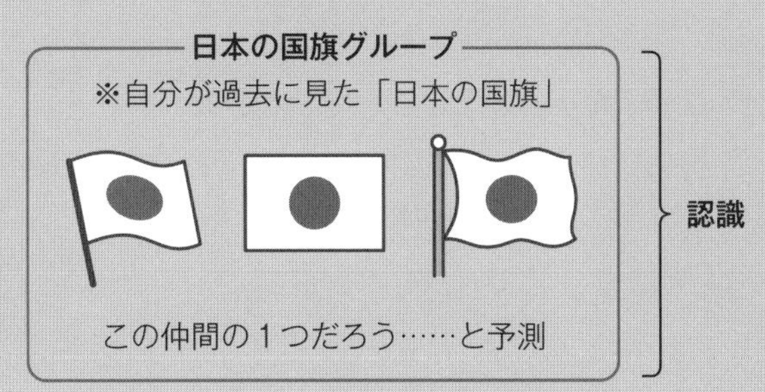

2　動物の知覚

動物や昆虫などの五感は、人間と違いがあるのでしょうか？

「視覚」「聴覚」「味覚」「嗅覚」「触覚」について、人間との違いを見つけてみましょう。

身近な動物や昆虫などの五感をくわしく調べることで、新しいセンサやロボットを作るヒントになるかもしれませんね。

モンシロチョウの目（視覚）

モンシロチョウの目は、左右２つの目で、前・後ろ・真上・真下まで広い範囲を見ることができます。

さらに、人には見えない「紫外線」を見ることができるので、メスがオスの羽を明るさで見分けることができます。紫外線で明るさがわかるので、モンシロチョウの目では、オスとメスの違いが見えます。

コウモリの耳（聴覚）

人には聞こえないような「超音波」が聞こえます。

コウモリは、自分が超音波を出して、その超音波が虫にあたったら、その音を頼りに虫を捕まえます。「超音波」を出すことで、目かくしをしていても障害物にあたりません。

イルカの耳（聴覚）

イルカも、人には聞こえないような「超音波」が聞こえます。

イルカは超音波を出して、空間の把握をします。目かくしをしても、輪くぐりもできます。

サメの目（視覚）

サメは、白黒の世界に生きています。

人間のようにカラーの世界ではなく、灰色の世界で生きています。

ただし、水中でモノがよく見えるという特徴をもち、水中で人間には光がぼんやり見える程度であっても、サメには人間の姿がしっかり見えます……気をつけましょう。

イヌの目と耳（視聴覚）

イヌの目も、赤色が見えません。全体的に、青緑色の世界が見えています。

イヌの耳は、人間に比べて優れています。特に高音の聴覚がとても優れていて、聞き取れる音の幅が人間よりも広いので、人間が気づかない音を聞くことができます。

超音波センサ

超音波は、人に聞こえないような高い周波数の音です。自動車やロボット掃除機などには、障害物を避けるために「超音波センサ」が使われています。また、「超音波エコー」で、妊婦さんのお腹のなかの赤ちゃんの様子を知るなど、医学分野にも応用されています。

3 コンピュータの知覚

人間が五感を通じて自分の周りを知覚するように、コンピュータは、「センサ」を通して周りや状態などを知覚します。

また、人間の視覚や聴覚などの知覚のしくみが、コンピュータに応用されています。たとえば、パソコン、スマートフォン、ロボット、ドローンなどは、人間が目を使って写真や物を見るように「カメラ」を使います。

「センサ」とは

何かの状態の検知や計測を行う機械のこと。

（例）「温度センサ」「加速度センサ」「超音波センサ」

カメラ
イメージセンサ

ジャイロセンサ
（傾けると画面も動く）

加速度センサ
（万歩計や運動アプリ）

光センサ
（明るさ調整）

磁気センサ
（コンパス）

指紋センサ
（指紋認証）

GPS センサ
（地図、場所）

スマートフォンに搭載されているセンサ
（機種によって異なります）

いろいろなセンサ

- **イメージセンサ：光を電気信号に変換し像を取得**

  （例）デジタルカメラやデジタルビデオカメラ
- **温度センサ：温度を計測**

  （例）エアコン
- **加速度センサ：単位時間あたりの速度（加速度）を測定**

  （例）ゲームコントローラー、スマートフォン
- **GPS センサ：全世界的な位置測位システム**

  （例）自動車、スマートフォン
- **ジャイロセンサ：角度を検出するセンサ**

  （例）スマートフォン（スマートフォンを傾けると画面も傾く）
- **圧力センサ：圧力を検知するセンサ**

  （例）デジタル体重計
- **光センサ：光を検知（紫外線、可視光、赤外線など）**

  （例）自動車のなかの自動ライト
- **距離センサ：距離を計測（光学、電波、超音波など）**

  （例）自動車の追突予防システム
- **振動センサ：振動を検知**

  （例）自動車の盗難防止

自動運転のための光センサ技術「Lidar」

レーザー光を対象物に照射して、対象物までの距離を計測したり、対象物の性質を特定したりすることができます。カメラは暗闇や悪天候に弱いというデメリットがあるため、さまざまなセンサのメリットを組み合わせています。

● 自動運転のための主なセンサ例

・Lidar（ライダー）：障害物検出（複数配置）

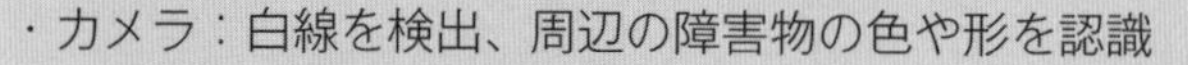

・カメラ：白線を検出、周辺の障害物の色や形を認識

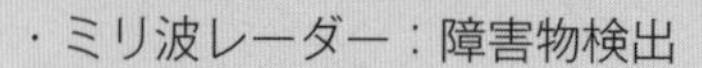

・ミリ波レーダー：障害物検出

※さらに、遠赤外線カメラや超音波を使う場合もあります。

コンピュータビジョン

人間の視覚システムができることをコンピュータで自動化できるように、しくみを調べたり、応用を考えたりする研究が進んでいます。

このような研究分野を「コンピュータビジョン」といいます。

たとえば、人間の目で見えないような、「野球の高速球がストライクなのかどうか？」など、さまざまなスポーツの判断にも活躍しています。

さらに、AI の発展にともない、カメラでとらえた物体を認識して、「その物体が何か？」を特定する「物体認識」もできるようになりました。

画像のデジタル化のしくみ

「ドットアート」を知っていますか？

小さな正方形を塗りつぶして、絵を描いていく方法です。

もし、もっと鮮明な絵を描きたい場合は、1つのマスの大きさを非常に小さくして、多くのマスを用いて描くと「画素数」が増え鮮明になります。デジタルカメラの「画素数」は写真の鮮明さに関わっています。解像度のdpiは、1インチあたりに、このマスがいくつ含まれているかを表しています。

〜白黒ドットアートをデジタル化してみよう〜

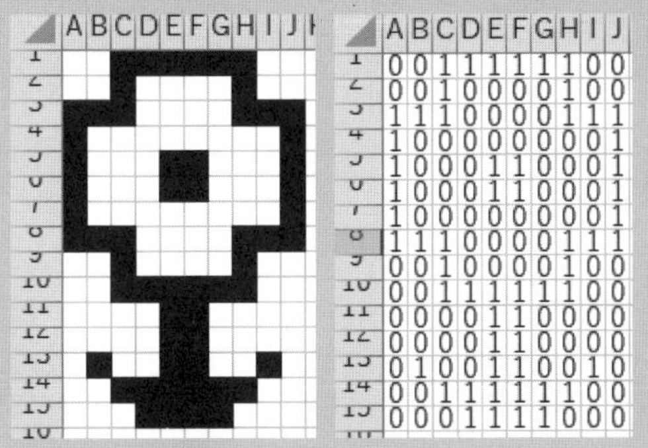

	A	B	C	D	E	F	G	H	I	J
1	0	0	1	1	1	1	1	1	0	0
2	0	0	1	0	0	0	0	1	0	0
3	1	1	1	0	0	0	0	1	1	1
4	1	0	0	0	0	0	0	0	0	1
5	1	0	0	0	1	1	0	0	0	1
6	1	0	0	0	1	1	0	0	0	1
7	1	0	0	0	0	0	0	0	0	1
8	1	1	1	0	0	0	0	1	1	1
9	0	0	1	0	0	0	0	1	0	0
10	0	0	1	1	1	1	1	1	0	0
11	0	0	0	0	1	1	0	0	0	0
12	0	0	0	0	1	1	0	0	0	0
13	0	1	0	0	1	1	0	0	1	0
14	0	0	1	1	1	1	1	1	0	0
15	0	0	0	1	1	1	1	0	0	0

「1つのマス」：画素

※タテ15マス×ヨコ10マス＝150ピクセル

例）白黒画像

・黒い部分を1

・白い部分を0

0と1に変換

↓

「デジタル化」

※デジタル化

コンピュータの世界では、「0か1」の2種類を使って数を表現します（2進数）。

Basic

2

システムを
デザインする方法

AI システムを理解するために、少し設計者の目線で考える練習です。
「なぜ、その AI システムが必要なのか？ 何が目的なのか？」

「ハンバーガー」をデザインしてみよう

あなたが作りたい「ハンバーガー」をイメージしてください。
(野菜バーガー、和風バーガー、和牛バーガーなど……)

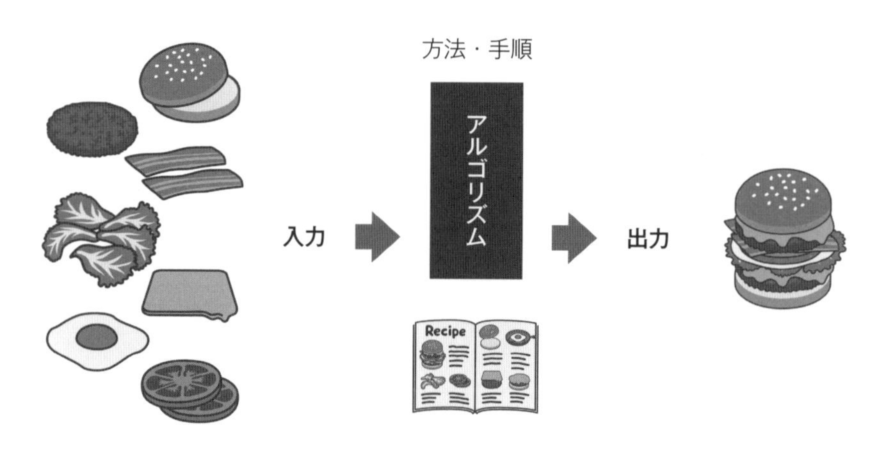

ハンバーガー作りから学べること

① どんなハンバーガーを作りたいか考える
→設計者の「目的」を考える（**ゴール、出力**）

② そのために必要な材料を考える
→目的を達成するために必要なものを考える（**入力**）

③ 作り方や手順を考える
→目的を達成するための最適な「**アルゴリズム**」を考える

（例）普通のハンバーガー

誰にでも受け入れられる普通のハンバーガー

- **入力：材料（パン、肉、レタス、トマト、ピクルス、調味料）**
- **アルゴリズム（方法・手順）**
  ① 材料をそろえる
  ② 材料の下ごしらえをする
  ③ パンに具をはさむ
- **出力：ハンバーガー**（できあがり）

設計者の目的

「基本のハンバーガー」は誰にでも受け入れられます。

さらに、お店の経営を考えるなら、利益が安定するという経済的なメリットがありますね。

最適な方法や手順

ハンバーガーの作り方や手順は複数あります。

そのなかから、「最適な方法を選ぶ」というのがポイントです。

今回は、「短時間」「誰にでもできる」という視点で最適ですね。

このように、設計者の目的を見つけることがとても大切です。

その目的に応じて、必要な材料（入力）、作り方や手順（アルゴリズム）は、変わってきます。

いろいろなケーキ作りを比べてみよう

「普通のショートケーキ」「健康志向のヘルシーケーキ」「和風高級ケーキ」の３種類のケーキ作りを比べてみましょう。

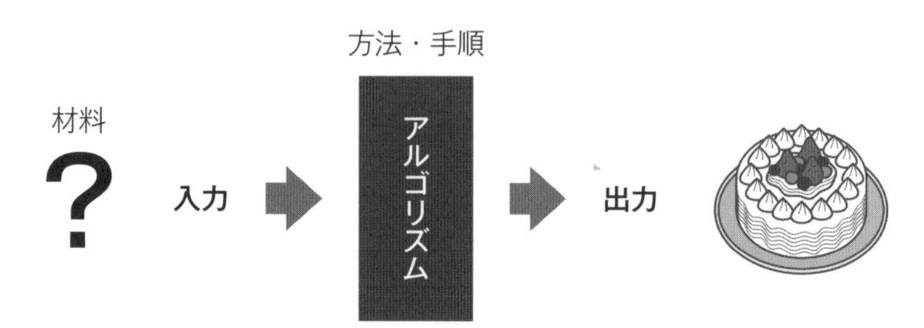

「どのようなケーキを作るか？」の目的（出力）が変わると、必要な「材料」（入力）や、「方法・手順」（アルゴリズム）が変わってきます。具体的に何が変わっているか見つけましょう。

① **「普通のショートケーキ」**

★材料：イチゴ、生クリーム、砂糖、スポンジ生地

★手順：①生クリームと砂糖を混ぜてホイップ

②スポンジ生地をデコレーション（生クリーム・イチゴ）

② **「健康志向のヘルシーケーキ」**

★材料：ニンジン、豆乳クリーム、ハチミツ、スポンジ生地

★手順：①豆乳クリームとハチミツをホイップ

②スポンジ生地をデコレーション（豆乳クリーム・ニンジン）

③ **「和風高級ケーキ」**

★材料：白イチゴ、高級生クリーム、和三盆、スポンジ生地

★手順：①高級生クリームと和三盆を混ぜてホイップ

②スポンジ生地をデコレーション（生クリーム・白イチゴ）

ゴールベース？ ルールベース？

AIシステムのデザイン

山の頂上を目指す場合に、美しい道ばかりを選び進んでも、結局は山頂に着かなかったのでは、「山頂を目指す」という目的（ゴール）を果たしたとはいえません。

最終的な目的（ゴール）を果たすことに価値を置き、そのゴールに向かって方法や手順を考えることを「ゴールベース」といいます。山の登り方でも、いろいろなメリットとデメリットがあり、バランスを取りながら設計していくことが必要です。

一方、1つ1つのルールを重視する「ルールベース」という考え方があります。ルールベースでは、単純なルールに従うことに価値を置き、ルールを守っているかどうかが重要です。この方法は機械が得意です。「もしも○○なら、××」というルールに従い、たとえば、「スイッチが押されたら、電気をつける」などです。

しかし、もしも未来の自動運転車が、「信号が青のときは車が走る」というルールだけに価値を置いたら、ルールは守られても、事故が起きてしまうかもしれません。「事故を起こさず、安全に走行する」というゴールベースに価値を置く設計が大切です。

Chapter 2

推論

「オセロゲーム」を知っていますか？

オセロ盤に白と黒の石が 2 枚ずつ置かれた状態から、
勝つという目的の状態に至るまで、
ルールに従い「ルールベース」でゲームを進めますね。
「もし、白をここに置いたら……」
「もし、黒をここに置かれたら……」
このような「場合分け」と「推測」でゲームが進んでいきます。

Chapter 2 では、「推論」について学びます。

● AI 囲碁

2015 年、「アルファ碁（AlphaGo）」というAI が、プロ棋士に勝利しました。従来の推論の方法（探索と確率を応用した方法）に加えて、さらに新しくディープニューラルネットワークを組み合わせ、「強化学習」を行う方法を使いました。

「推論」と「学習」

Chapter 2とChapter 3のちがい

Chapter 2 と Chapter 3 は、アルゴリズム（方法・手順）のお話です。AI システムの出力結果を出す方法（アルゴリズム）は、大きく分けて２種類あります。「ルールベース」で推論のルールに従う場合と、予測結果を出すことに価値を置く「ゴールベース」で、大量データを学習して予測する場合です。両方とも大切な方法です。

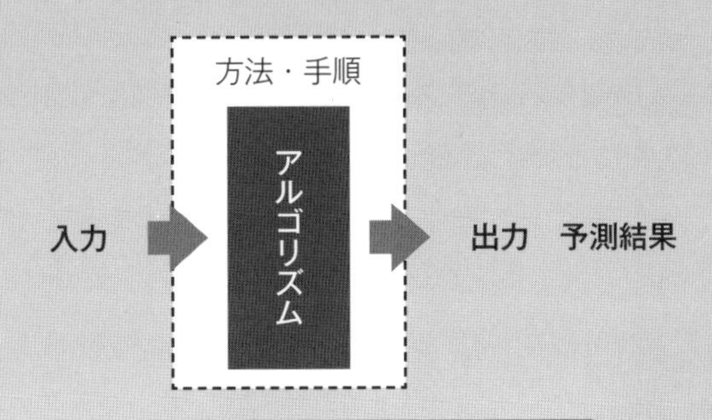

Chapter 2「推論」
推論とは？ 推論のルールに従い予測

Chapter 3「機械学習」
学習を用いた推論、大量データの学習
（ゴールベースで予測する）

「推論」って何？

「スイッチを押したら、電気がつきました」

もしも、スイッチを押したら、電気がつく。

そうでなければ、電気はつかない。

……ルールがありますね。

一般的に「推論」とは、ある事実（経験や知識）などのルールをもとにして、論理的に推測することをいいます。

推論は、前提とするルールに従います。

たとえば、次の２つの前提があった場合を考えてみましょう。

（前提１）すべての人間は死ぬ。

（前提２）ソクラテスは人間である。

→（結論）ソクラテスは、死ぬ。

これは、「三段論法」を勉強するときに出てくる有名な例です。

● **アリストテレスの三段論法**

（前提１）**かつ**（前提２）が成り立つ**ならば**、ソクラテスは死ぬ。

推論ではない例

ランダムって何？

ルーレットがあります。ルーレットを回して、「赤」か「黒」のどちらに白玉が止まるか予測してください。
（※不正などはありません！）

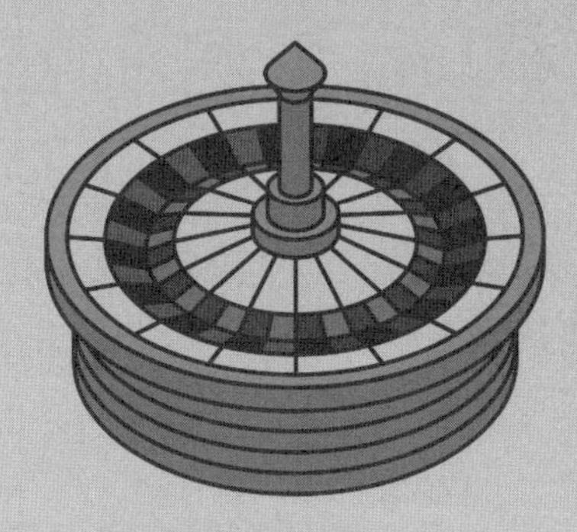

「赤」と「黒」のどちらに入るか予測

……これは推論ではありません。

同じ「予測」ですが、推論は、知識やルールに従います。

ルーレットは、「ランダム」に止まるので予測ができません。

「ランダム」とは、ルール（規則性）がなく、次の予測が不可能な状態をいいます（例：くじびき、抽選）。

一方で、ランダムが活躍する場面があります。ゲームの敵の動きをランダムにすると、予測ができないので強い敵ができますね。

2 演繹的推論と帰納的推論

基本的な推論の方法を学びましょう

☑ 演繹（えんえき）的推論：「ルールに従って主張するキッチリさん」

☑ 帰納的推論：「観察してルールや法則を見つける探偵さん」

演繹的推論　「ルールに従って主張するキッチリさん」

事実Aと事実Bに従って、正しい結論を導く推論方法

(A→B、B→C　ならば　A→C：三段論法)

事実Aは「算数でキロ（k）は1000倍を表す」であり、
事実Bは「1m＝100cmである」である場合、
ゆえに、1km＝100000cmである！

※基本的に必ず正しい

帰納的推論　「観察してルールや法則を見つける探偵さん」

観察されたサンプルの共通点から一般的なルールや法則を見つける

サンプルAは「1km=1000m」であり
サンプルBは「1kL=1000L（リットル）」であり
サンプルCは「1kg=1000g」である場合
ゆえに、k（キロ）は1000倍を表している！

※観察するサンプルに気をつけないと間違った結論が導かれる

●【演習】推論の基本

次の例は、演繹的推論、帰納的推論のどちらの例でしょうか？

（例１）「雨の日は、家のなかで遊びます」
「今日は、雨が降っています」
→【推論】ゆえに、「今日は、家のなかで遊びます」

（例２）「アフリカで見たキリンの首は長かった」
「日本の動物園で見たキリンの首は長かった」
「アメリカで見たキリンの首は長かった」
→【推論】ゆえに、（おそらく）「キリンは首が長い」

（例３）「スーパーマーケットＡで、小麦粉が値上がりした」
「スーパーマーケットＢで、小麦粉が値上がりした」
「スーパーマーケットＣで、小麦粉が値上がりした」
→【推論】ゆえに、（おそらく）「小麦粉が値上がりしている」

【答え】
（例１）演繹的推論　（例２）帰納的推論　（例３）帰納的推論

※「帰納的推論」では、気をつけないと間違った推論になります。「観測するサンプルの選び方」「自分の思い込み（主観）」に注意が必要です。

3 仮説推論（アブダクション）

「仮説推論」は、「仮説」を用いて説明するための推論です。

「なぜ、その現象が起きているのか？」などを、仮説を立てて推論します（ただし、思い込みなどで間違った推論を導く可能性もあるので注意）。

（例）帰納的推論

「りんごが木から下に落ちる」

「バナナも上から下に落ちる」

「落ち葉が木から落ちる」

→【推論】ゆえに、一般的に「物体は上から下に落ちる」

（例）仮説推論

「りんごが木から下に落ちる」

「バナナも上から下に落ちる」

「落ち葉が木から落ちる」

→【推論】物体の落下には、重力が影響しているのではないか？

※科学的に用いるなら、十分な検証と証拠で丁寧に扱うことが必要です。

● 間違った例（仮説推論）

「地面が湿っている」

「雨が降ると地面が湿る」

→【推論】ゆえに、「雨が降ったに違いない」

（※実際は、ホースで水をまいて地面が湿っていた）

●【演習】だまされるな！ 論理的破綻

次のセリフは、論理的に破綻しています。

問題点を具体的に探し、理由を述べてください。

（※ポイント「前提となる事実」「論理の飛躍」）

（例１）「渋谷で遊んでいる人は、オシャレである」

「ぼくは、渋谷で遊んでいる」

→ゆえに「ぼくはオシャレである」

（例２）「勉強をしないで東大（東京大学）に入った人Ａがいる」

「勉強をしないで東大に入った人Ｂがいる」

→ゆえに「勉強をしなくても東大に入れる」

【答え】

（例１）間違った事実が前提となっている。

「渋谷で遊んでいる人は、オシャレである」

（そうでない人もいるのが事実である。）

（例２）サンプル数が少ない（他の何万人もの人はどうか？）。

「勉強をしない／する」というのが本人の主観である。

（５時間勉強しても「勉強していない」と思うかもしれない。）

※「前提となる事実が間違っていないか？」「サンプルが１例なのか？」

「大勢にいえる話（一般化できる話）なのか？」を考えましょう。

（テレビや広告にだまされないように、情報を見分ける目をみがきましょう。）

4 「探索」迷路をとく

推論を用いて、「迷路」を考えてみましょう。
迷路でゴールまで行く経路を探すことを「迷路探索」といいます。
その経路のなかで、一番早くゴールに到達する経路が「最短経路」です。

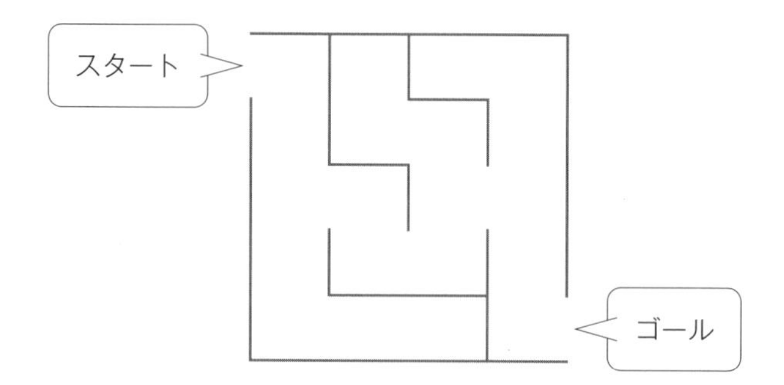

ポイント

① 「分岐」：どちらにいくか場合分けが必要なのでマーク
② 「行き止まり」：進めないのでマーク

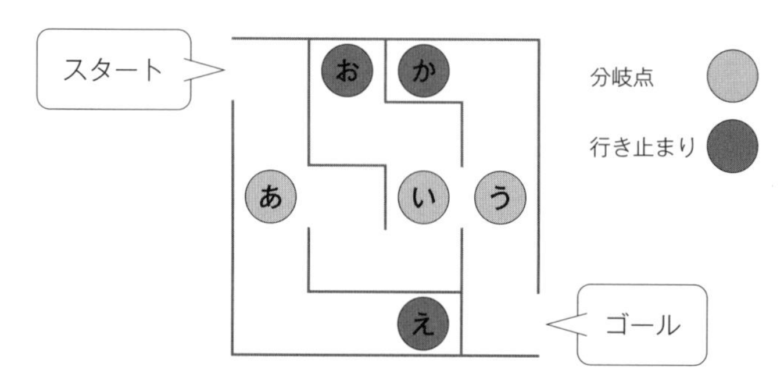

③　経路に線を引いてみよう

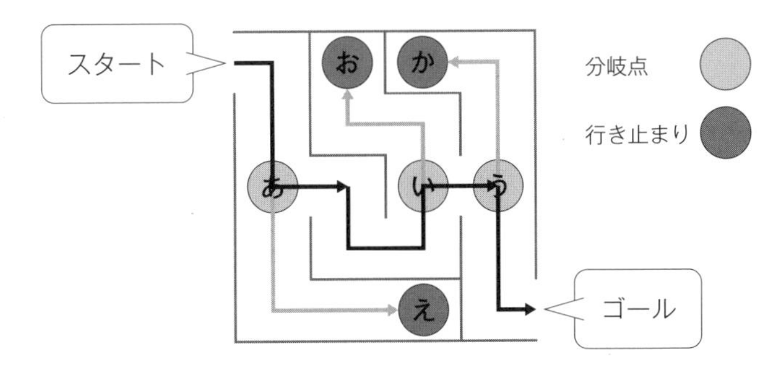

④　経路の「わく」を取ります

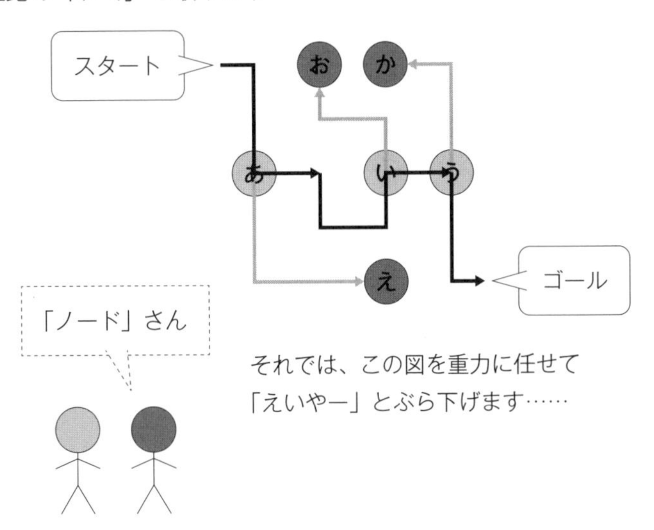

それでは、この図を重力に任せて
「えいやー」とぶら下げます……

⑤　経路がわかりやすくなりました

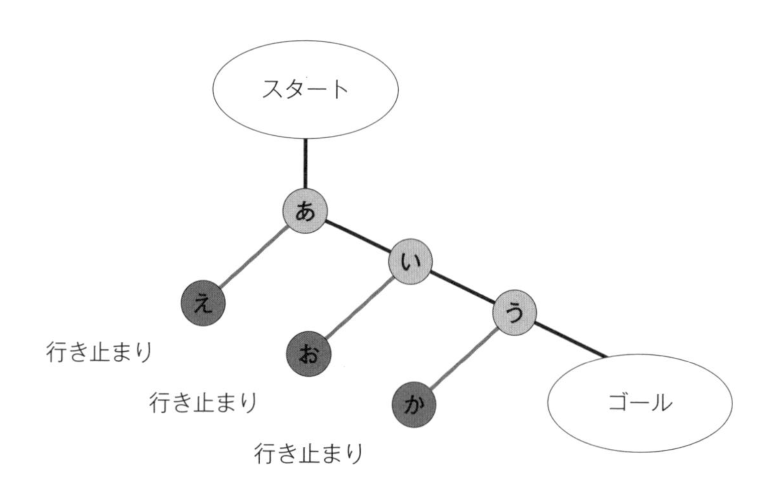

⑥　全部の経路を書き出してみよう

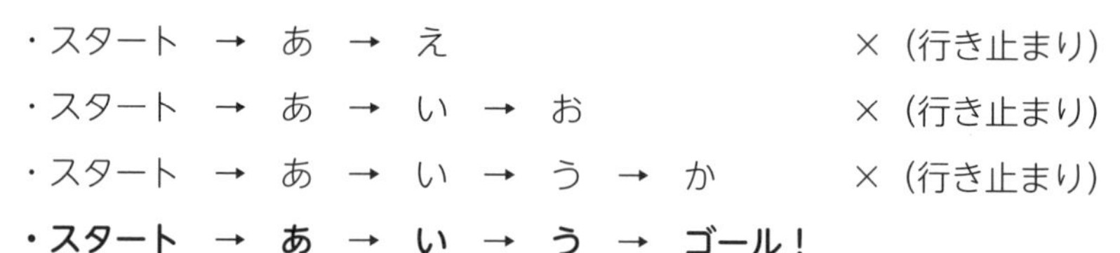

・スタート　→　あ　→　え　×（行き止まり）
・スタート　→　あ　→　い　→　お　×（行き止まり）
・スタート　→　あ　→　い　→　う　→　か　×（行き止まり）
・スタート　→　あ　→　い　→　う　→　ゴール！

⑦　最短経路がわかりました

スタート　→　あ　→　い　→　う　→　ゴール！

※これがコンピュータの最短経路の問題の解き方です。
ルールに従って、「**もしも**行き止まりだったら○○」と経路を探します。

人工知能（AI）ブーム

人工知能（AI）には、60年以上の歴史があるといわれていますが、「ブーム」と「冬の時代」を繰り返しながら、発展しています。

1. 第1次AIブーム

   1950年〜1970年代頃　「推論・探索」「自然言語処理」

   ・コンピュータによる「推論」や「探索」が可能となり、特定の問題に対して解を提示できるようになった。

   ・ニューラルネットワークのパーセプトロン開発（1958年）。

2. 第2次AIブーム

   1980年〜1990年代頃　「知識ベース」「音声認識」

   ・コンピュータが推論するために必要なさまざまな情報（知識）を用いたエキスパートシステム（専門家のようなシステム）が活躍。

3. 第3次AIブーム

   2000年代〜現在　「機械学習」

   ・「ディープラーニング」（2006年）

   ・大量のデータを用い、AIが知識を獲得する「機械学習」が実用化された。

Chapter 3

機械学習

突然ですが、右の物体は何でしょうか？

……「タコ」ですね。
では、なぜ「タコ」だとわかるのでしょうか？

それは、「赤くて」「頭が丸くて」「足が８本ある」……
特徴を**知覚**したからですね。
人間が、経験や知識として、「タコ」を見たり、教えてもらったりして、「タコ」だとわかるようになるように、コンピュータも学習をします。
ここでは、機械学習（コンピュータの学習）について学びます。

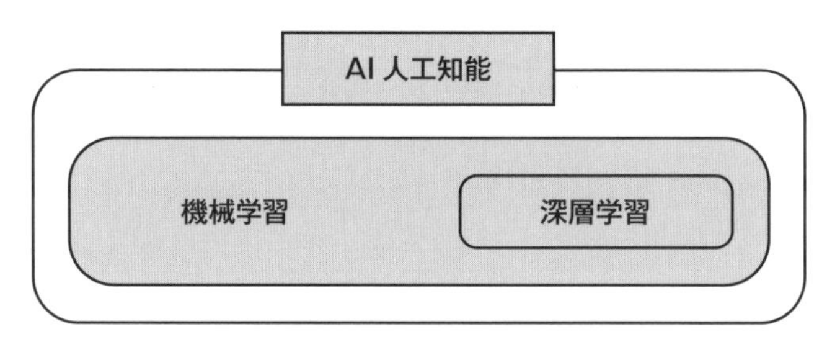

機械学習と深層構造

- **機械学習**
  人間が得る知識や経験のように、コンピュータが大量のデータを用いて、アルゴリズムに基づき学習し、予測結果を出力する。

AIの限界の歴史から学ぶ「機械学習」

●第１次AIブーム

「推論・探索」によって、問題を解かせる研究が進みました。

（参考：Chapter 2「推論」）

●第２次AIブーム

「知識」をコンピュータに入れる研究が多く行われました。

たとえば、専門分野の知識を取り入れて推論を行うような「エキスパートシステム」が注目されていました。しかし、ルールの数が膨大で、ルール同士の矛盾などが生じるという限界がありました。

●第３次AIブーム

コンピュータの性能が向上し、「機械学習」が登場し、コンピュータによりビッグデータの「分類」などが行われるようになりました。しかし、データの特徴を指定していたのは、実は人間でした。2000年代になって、自動的に特徴を選び出す学習方法が新しく登場しました。それが、**「ディープラーニング」（深層学習）**です。機械学習のうちの１つの手法として、人間の神経細胞（ニューロン）のしくみをモデルとして提案されました。

1 教師あり学習

AI システムのアルゴリズムの 1 つとして「機械学習」があります。
「機械学習」は、人間が知識や経験で学ぶように、コンピュータが大量のデータを学習する方法です。「機械学習」には、大きく分けて「教師なし学習」と「教師あり学習」があります。答えがわかっているデータを使う場合を「教師あり学習」といいます。

教師あり学習

事前に「図鑑」のように答えを覚える学習ステップがあります。
(試験勉強のようなものです。)

教師

明日、花の分類のテストをするので、
この図鑑を全部覚えておきましょう。

①学習ステップ

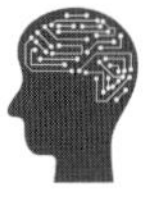

それでは、テストをします。
これは、何の花でしょう？

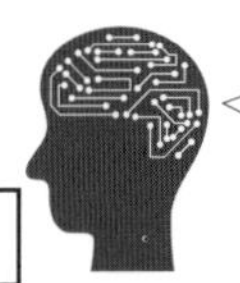

バラです。

②テスト（判断・予測ステップ）

体験しよう！

● **QUICK, DRAW！（クイックドロー）**

https://quickdraw.withgoogle.com/

Google が提供するオンラインゲーム（スマートフォンでも使えます）

【使い方】

「描いてみよう」をクリックすると、何かの絵を描くよういわれます。

画面上に絵を描くと、その絵が何を表しているかをニューラルネットワークによる AI システムが予測します。

【ポイント】

1．「特徴」をよく考えて、チャレンジしてみましょう。
2．「なぜ何の絵かを予測できるのか？」を考えましょう。
3．大量のデータを事前に学習していることに気づきましょう。
（「世界最大の落書きデータセット」をクリックしてみましょう。
https://quickdraw.withgoogle.com/data）

2 学習と予測

機械学習（教師あり学習・分類）を考えてみましょう。
つぎの２つのステップがあります。
①学習ステップ：大量のデータを学習
②判断・予測ステップ：予測結果を出力

1. 学習ステップ

事前にりんごの画像を大量に与えられ、特徴を学習します。
「りんご」に分類できるかどうかの判断をする分類器を作成します。

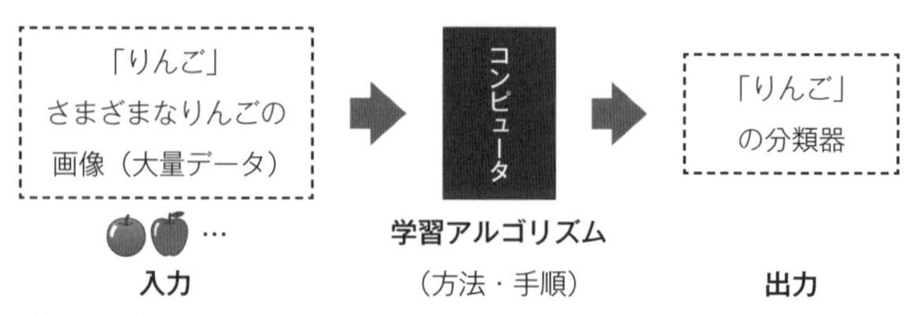

2. 判断・予測ステップ

１で作成した「分類器」を用います。実際にカメラで物体を写して、その画像をコンピュータに与えると、コンピュータはその予測結果を表示します。
（物体の特徴から、□□%の確率で「りんご」と判断・推定したか出力します。）

人間の学習を考えてみよう

赤ちゃんは、「タコ」をどうやって学習するのでしょうか？

絵本やテレビで見たり、実物を見たり、周りの人たちの会話を聞いたり……「赤くて丸くて足が８本あるのはタコ」と学んでいきます。特徴が大切です。

もしも、「タコ」以外のものを見て「タコ」といったときには、「いいえ、違いますよ」と教えられます。

「タコ」かな？

いいえ、「イカ」ですね。
特徴が違いますね。

3 分類と回帰

教師あり学習の「分類」と「回帰」を学びましょう。

- **「分類」：特徴で分類する**

（例）イヌとネコの分類、「好き」「嫌い」の分類……

- **「回帰」：過去の数値データから求めたいものを予測する**

（例）今年度の売り上げから、次年度の売り上げを予測する
　　30～50 坪の家の家賃のデータから 100 坪の家の家賃を予測する

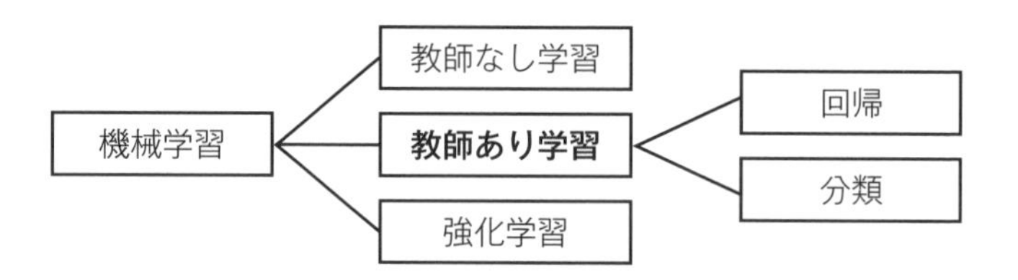

「分類」：特徴で分類（画像分類、異常検知など）

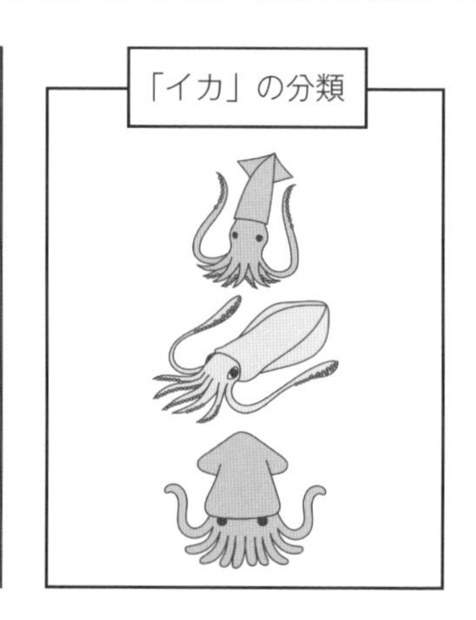

▶「回帰」：(売上の予測、需要の予測、人口の予測など) 過去の数値データから求めたいものを予測する

(例) 30〜50 坪の家賃のデータから、100 坪の家賃を予測

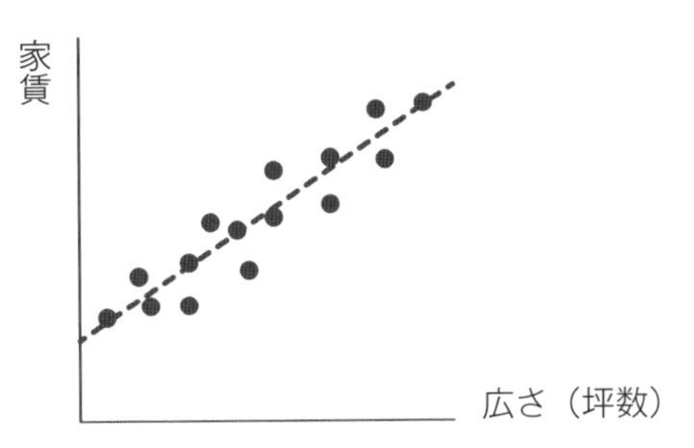

広さ（坪数）と家賃の関係性のグラフを描くと、
この場合は、直線が引けるので、直線の関係性（一次関数）です。
y（家賃）、x（坪数）としたときに、

$$y = ax + b$$

この式を、「回帰式」「回帰モデル」などといいます。
この式を用いて、x=100（坪数）のときの y（家賃）を計算すると、
30〜50 坪の家賃データから、100 坪の家賃が予測できます。

● いろいろな回帰モデル

今回の関係性は、直線が引けるような単純（一次関数）なものでしたが、複雑な関係性の場合には、いろいろな曲線を使うことができます。

また、今回は「広さ」だけでしたが、「立地条件」などの複数の条件を考えて予測することもできます（重回帰）。

4 その他の機械学習

機械学習には、「教師あり学習」のほかに、「教師なし学習」のクラスタリング、「強化学習」などがあります。

教師なし学習の「クラスタリング」は、正解を学習するステップがありません。そのままのデータを特徴で仲間分けをする方法です。

強化学習は、「報酬（スコア、点数）」を最大にするための行動を選択していく方法です。ゲームや自動運転の状況判断などに用いられます。

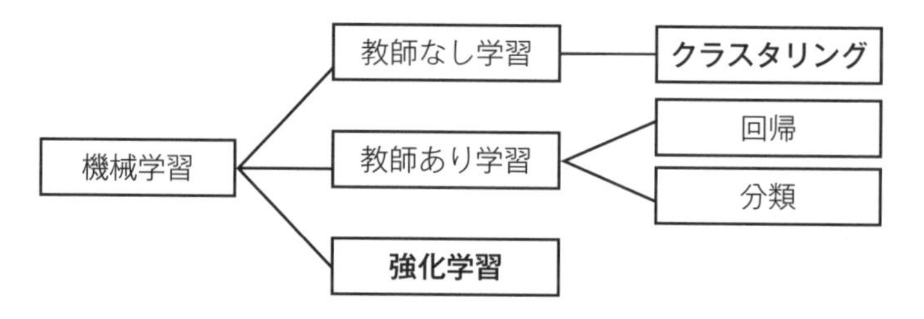

▶ クラスタリング（教師なし学習）

特徴で仲間分けをします。学習データは必要ありません。

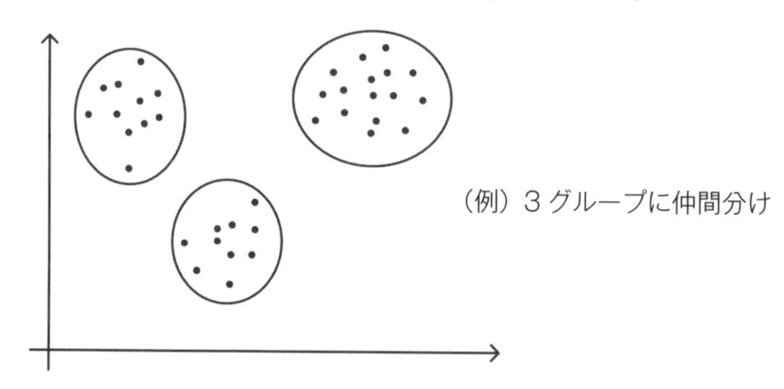

▶ 強化学習

コンピュータは「報酬（スコア、点数）」を最大にするための行動を試しつつ、一番良い行動を選択します（ゲーム、自動運転車、広告など）。

強化学習という概念自体は、1950年代にすでにあり、昔から使われている方法です。

（例）ロボットの歩行制御

強化学習で「歩行距離」を報酬にすると、歩行距離を最大にするように、自ら試行錯誤します。

（例）オセロゲームなどのゲーム

「勝つ」を報酬として、試行錯誤する基本的な方法として強化学習が用いられることがあります。さらに、オセロゲームや囲碁などを強くするために、強化学習と新しい深層学習を組み合わせた方法「深層強化学習」が使われるようになりました。

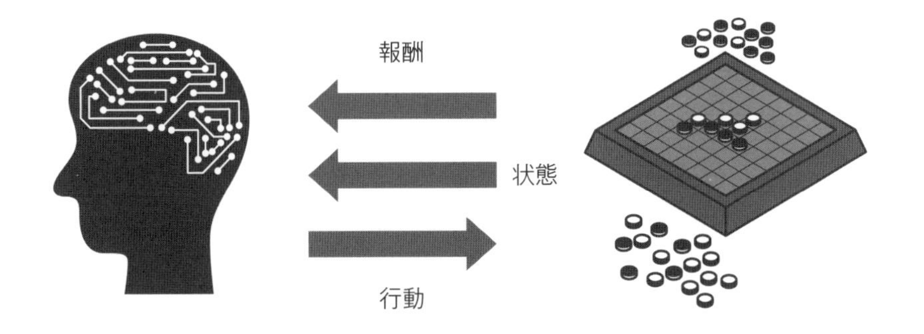

5 ニューラルネットワーク

人間の脳のなかには、神経細胞（ニューロン）がたくさんあります。
たくさんのニューロンがつながることで、情報を伝え、学習や記憶などができるようになっています。
このニューロンがつながったネットワークのしくみが数学的にモデル化されて「ニューラルネットワーク」と呼ばれる手法になりました。その後、多層化されたニューラルネットワークが発表され、「深層学習（ディープラーニング）」の発展につながりました。

ニューラルネットワークの基本

脳では、1000億個のニューロン（神経細胞）がつながってネットワークを作って情報の伝達を行っています。1つ1つのニューロンは、情報を受け取って、つながっている別のニューロンに出力します。

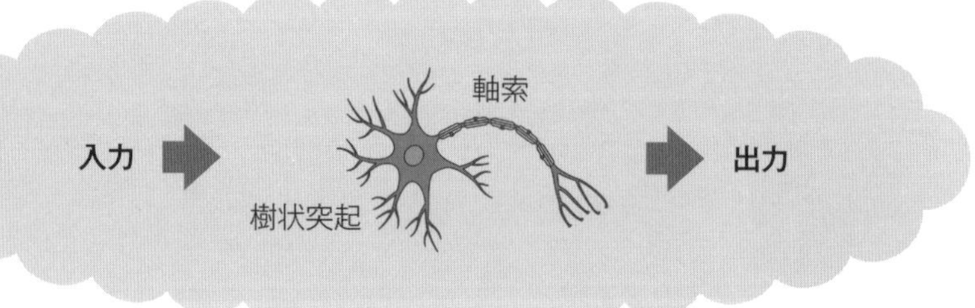

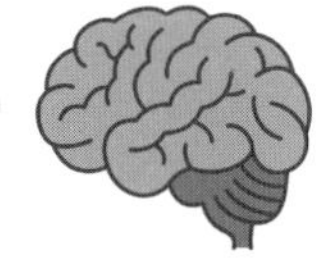

この脳のニューロン（神経細胞）を数学的にモデル化し、つなげたものが「パーセプトロン」と呼ばれ、ニューラルネットワークの基礎になっています。まず、複数の入力に対して、重要度で重みづけが行われます。つまり、複数の入力から、重要な情報を選んで、それを出力するというしくみです。なお、機械学習では、この重みは自動的に学習されていきます。入力の値と重みを掛け合わせて計算された値が、閾値（いきち）を超えていれば、出力となり、つながっているニューロンへその値の情報が伝わっていきます。

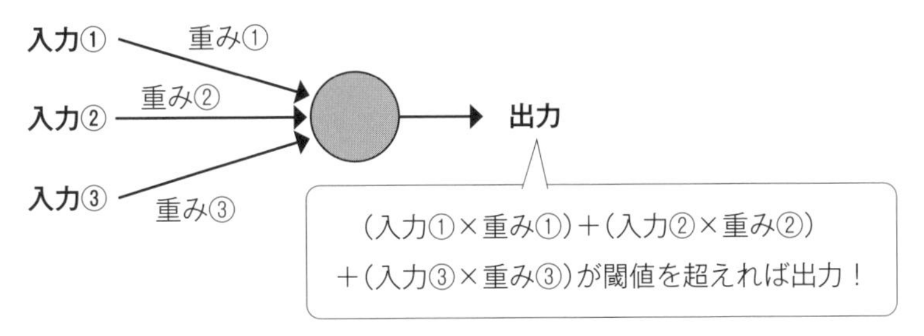

ニューロンを複数つなげたのが「多層パーセプトロン」です。多層パーセプトロンは、ニューラルネットワークの基本です。最初の層を「入力層」、最後の層を「出力層」といいます。「入力層」と「出力層」の間にある層は「中間層」（隠れ層）といわれ、この中間層を増やすと、多層ニューラルネットワークとなっていきます。

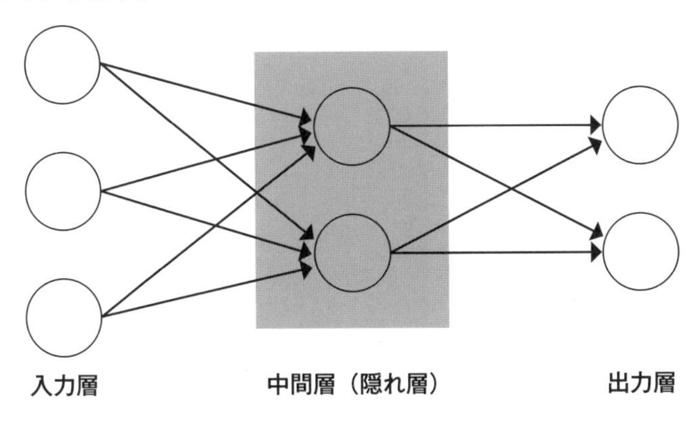

【解説】情報伝達のしくみ

たとえば、右の画像が、タコの仲間かどうかを予測する場合を考えます。なお、今回の閾値は 0.6 とし、出力が 0.6 以上の場合に「タコ」とします（なお、タコは正確には赤色ではありませんが、ここでは説明をわかりやすくするため、赤色であるとします）。

1. 入力は、上の画像の特徴についての情報の値です。

ここでは、「はい」の場合は「1」、「いいえ」の場合は「0」とします。

・入力①色が赤いか？→はい［1］

・入力②頭の形は丸いか？→はい［1］

・入力③足は 8 本か？→はい［1］

2. 重みは、各入力（特徴）の重要度を数値化したものです。

特徴の重要度の順位付けをします。色が重要なので 0.5 とします。頭の形は少し重要なので 0.3、足の数の重要度を 0.2 とします。

・重み①（色の重要度：高）＝ 0.5　　※一番重要

・重み②（頭の形の重要度：中）＝ 0.3　　※二番目に重要

・重み③（足の数の重要度：低）＝ 0.2　　※三番目に重要

3. 出力を計算してみましょう。

(1 × 0.5)+(1 × 0.3)+(1 × 0.2)=1.0

出力が 1.0 で閾値の 0.6 以上なので、「タコ」という結果になります（もし出力が 0.6 より小さい値なら、出力はありません）。

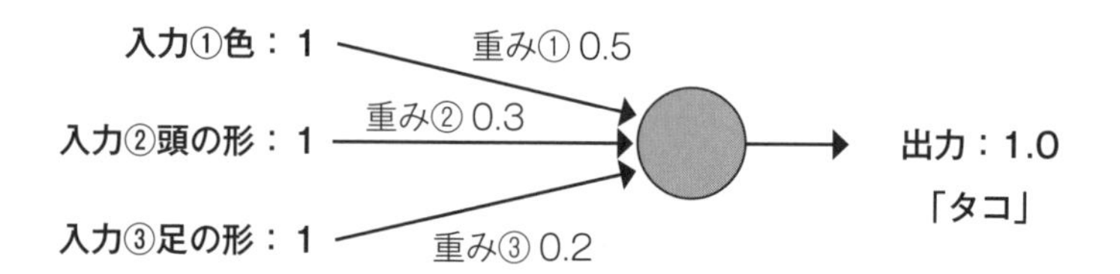

【解説】ニューラルネットワークのしくみ

ニューロンを複数つなげた「多層パーセプトロン」を考えます。

下の画像は、タコとイカのグループのどちらの仲間かを予測しましょう。

入力は、画像の特徴についての情報の値です。

・入力①（色：赤い）＝ 0.9 （色が赤い度は 0.9）

・入力②（頭の形：丸い）＝ 0.6 （丸い度は 0.6）

・入力③（足の形：長細く 8 本）＝ 0.5

入力された値が閾値を超えたら、次のニューロンにその値の情報を伝えます。閾値を超えない値の情報は、伝わりません。入力を入れて、得られた結果を見てみると、今回は、出力層の「タコ」の値が「0.85」となっています。この値は、イカの「0.15」よりも高いので、予測結果は「タコ」となります。

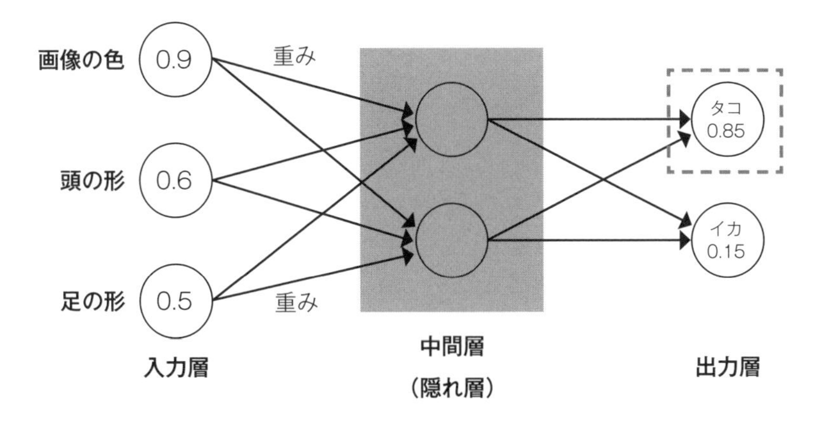

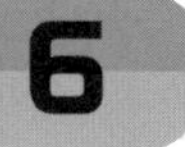

6 深層学習（ディープラーニング）

深層学習（ディープラーニング）は、ニューラルネットワークの階層を多層化したアルゴリズムです。

ニューラルネットワークは、「入力層」、「中間層（隠れ層）」、「出力層」をもちますが、ディープラーニングの中間層（隠れ層）は、多層化して深くなっているので「深層学習」と呼ばれています。ディープラーニングは、学習能力が高く、これまで人の手で見つけていた特徴を、自動的にコンピュータで見つけることができるようになりました。

深層学習（ディープラーニング）って何？

機械学習の方法の1つにニューラルネットワークがありましたね。そのニューラルネットワークをさらに多層化したものを「深層学習（ディープラーニング）」と呼びます。ニューラルネットワークでは、人間がデータの特徴を定義する必要がありましたが、深層学習では、特徴を見つけるプロセスも自動化されていることが異なります。

この深層学習の発展には、2000年代のコンピュータの性能の向上も影響しています。深層学習では、画像・音声・自然言語などの大量の教師データが必要になりますが、コンピュータの性能の向上により、これらが十分に学習できるようになりました。現在、私たちの身近には、この深層学習を用いたAI技術がさまざまな分野で活用されています。たとえば、自動翻訳・自動運転・医療・在庫管理・セキュリティ・ロボティクスなど多岐にわたります。

ディープラーニングの代表的な方法

畳み込みニューラルネットワーク（CNN）

深層学習で最も使用される方法の１つです。「画像認識」の分野で主に使用されています。中間層は、「畳み込み層」「プーリング層」などの複数の層が重なっています。

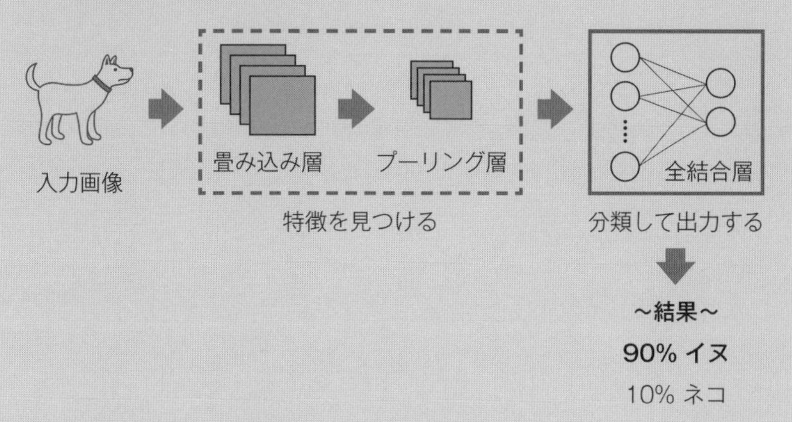

①「畳み込み層」で画像の「特徴」を見つける。
②「プーリング層」で画像の解像度を下げていく（小さくなる）。
③「全結合層」でプーリング層の出力をまとめて、結果を出力。

※畳み込みニューラルネットワークは、最小限のデータ処理で特徴を見つけられるようなしくみになっています。

【解説】畳み込みのしくみ

「畳み込み」は、一言で説明すると、画像の特徴を抽出する作業ですが、まずは、その前に、画像の数値化を学びましょう。

● **画像の数値化**

カラー画像は「赤（Red）」「緑（Green）」「青（Blue）」が足し合わさってできています。それぞれ、0～255までの値をとることができます。この色の表現方法を「RGBカラーモデル」といいます。

＝　赤成分（R）＋緑成分（G）＋青成分（B）

カラー画像

たとえば、（赤成分（R）、緑成分（G）、青成分（B））とすると、

（0、0、0）は「黒」、（255、255、255）は「白」になります。（255、0、0）は「赤」、（0、255、0）は「緑」、（0、0、255）は「青」です。

ここでは、わかりやすく、白黒画像を考えてみましょう。黒は0、白は255の0～255までの数字で白黒画像を表すことができます。画像は、小さなマスの集まりなので、たとえば、下のような白黒画像の場合は、このように変換することができます（黒：0、白：255）。なお、カラー画像の場合は、この作業を「赤」「緑」「青」の3成分のそれぞれに対して行います。

0	255	0
255	0	255
0	255	0

● **畳み込みの操作**

数値化した画像データを圧縮して特徴を抽出していきます。

画像データは、本来、とても小さいマスがたくさん集まってできていますが、ここではわかりやすく、3 × 3 のマスで表される画像を考えます。

まず、カーネルと呼ばれるフィルタを決めて、積の和を計算していきます。ここでは、仮に 2 × 2 のカーネル（フィルタ）を例に考えていきます。

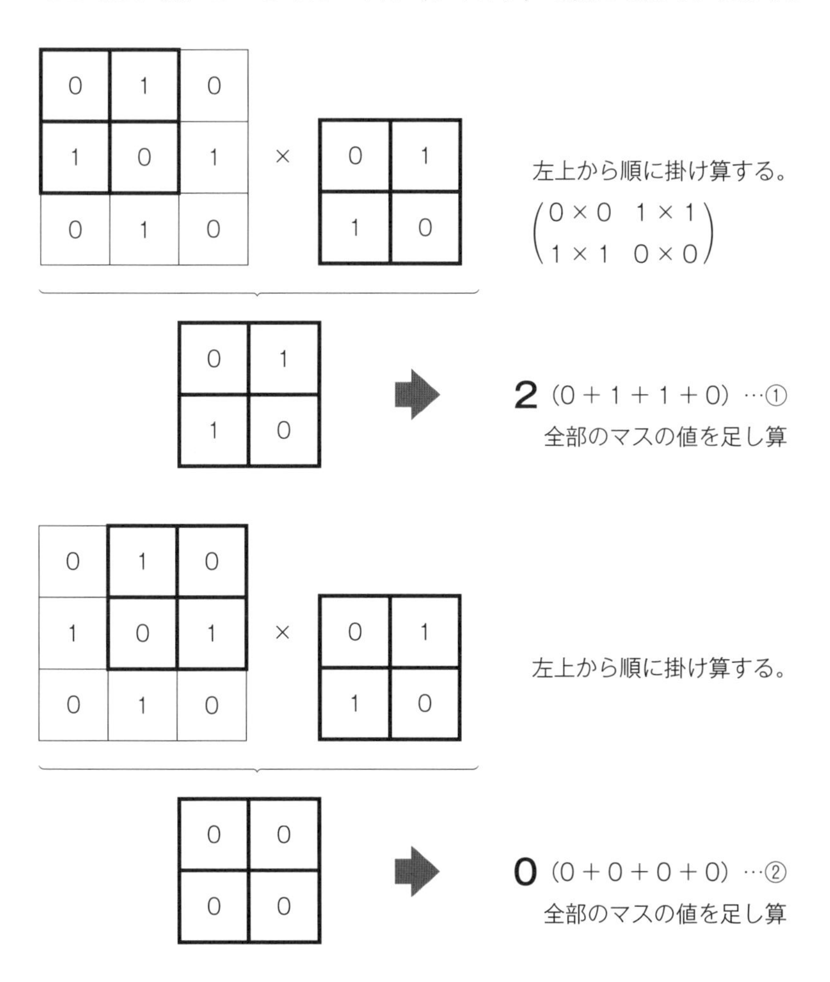

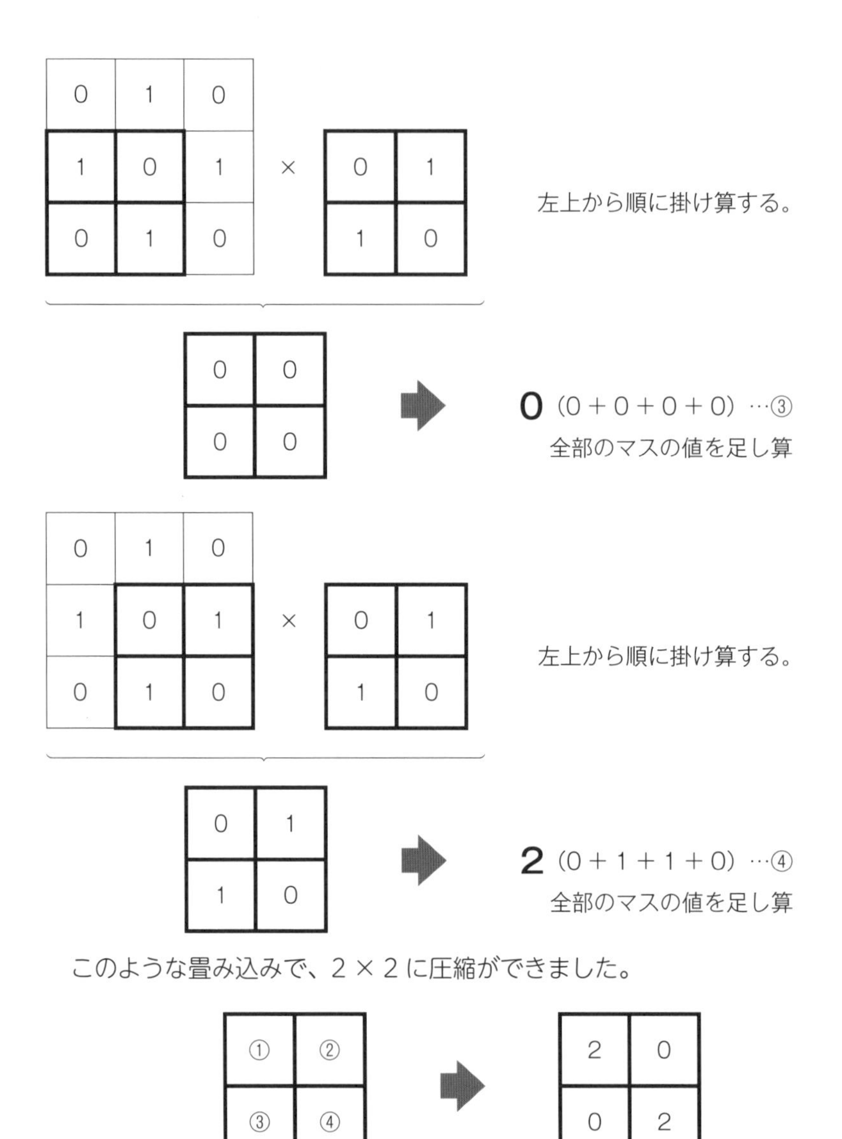

このような畳み込みで、2 × 2 に圧縮ができました。

これを「**特徴マップ**」といいます。畳み込みニューラルネットワークでは、大きなサイズの画像データをこのように小さくして特徴を抽出しています。

● プーリング

畳み込みニューラルネットワークでは、畳み込み層をいくつか繰り返した後に、「プーリング層」があります。プーリング層では、さらに画像が圧縮され、小さくなっていきます。

4×4のマスを使って、プーリング層の役割を簡単に説明していきます。方法はいくつかありますが、ここでは、「指定したエリアの最大値」を求めて画像を小さくしていく方法を紹介します。左上の3×3のマスに注目してください。

1. 左上の3×3のマスのなかで最大の値は「4」ですね（左下図）。
2. この3×3を1つ横にスライドして最大値を探すと「3」ですね（右下図）。
3. 左下の3×3のエリアでは「5」が最大値ですね。
4. 右下の3×3のエリアでは、「3」が最大値ですね。

4	2	0	1
2	1	1	0
0	1	0	3
2	5	1	2

4	2	0	1
2	1	1	0
0	1	0	3
2	0	1	2

この作業をしていくと、2×2に画像が圧縮できます。

4	3
5	3

このように、畳み込みとプーリングを行うことで、画像の大事な特徴を残しながら、画像を小さくしていくことができるのです。

7 画像認識・物体認識

画像認識・物体認識には、「学習ステップ」「判断・予測ステップ」があります。画像認識は、画像や写真、動画から特徴を見つけ、「その画像に写っているものは何か？」を予測します。一方で、物体認識は、カメラを通じて物体を写しているときに、「写っている物体は何か？」を予測します。

1. 学習ステップ

事前に画像を大量に与えられ、特徴を学習し、分類器を作成します。

（例）ネコとイヌの分類をしたい場合：両方の画像を大量に学習させます。

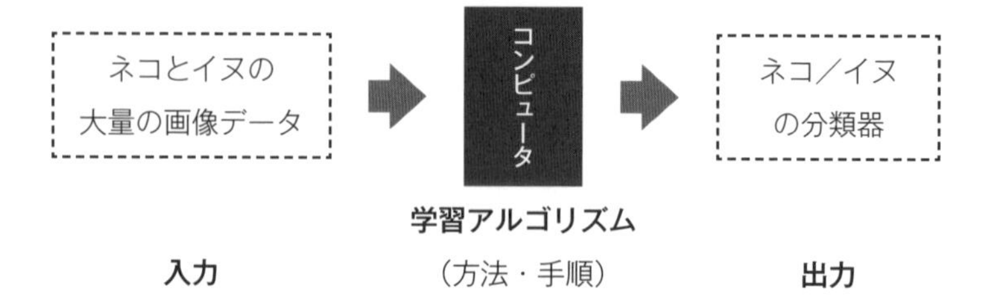

2. 判断・予測ステップ

「分類器」を用います。カメラで物体を写してコンピュータに与えると、コンピュータはその予測結果を表示します（□□%の確率で「イヌ／ネコ」と判断・推定したか出力）。

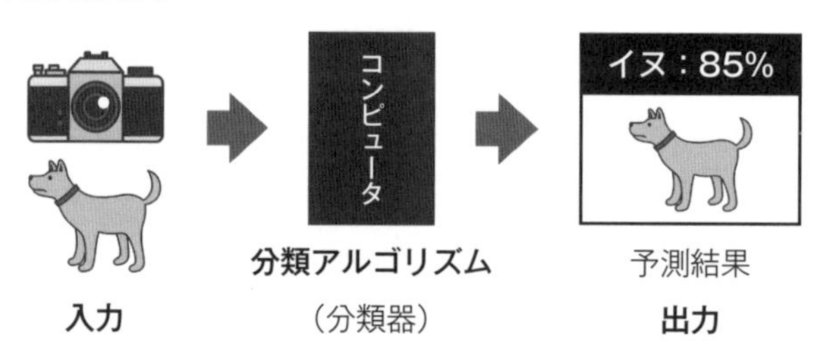

一般物体認識

～１枚の写真から複数の物体を検出する方法～

１枚の写真に複数の物体が写っている場合を考えてみましょう。

「写真に写っている物体は何か？」ということと、「その物体を四角で囲う」という２つのことの予測が必要です。これを「物体検出」といいます。リアルタイム処理ができ、幅広く使われている AI 技術です。

物体検出の例。犬（dog）、自転車（bicycle）、トラック（truck）を検出しています。

写真出典：「YOLO: Real-Time Object Detection」Joseph Redmon
https://pjreddie.com/darknet/yolo/

Basic

3

データを扱う方法

これまでは、「コンピュータでできること」について学びました。
AI 技術を使って自動でいろいろなことができることがわかりましたね。

さて、ここでは、「人間がやるべきこと」について学びます。
たとえば、画像認識や物体認識などでは、「学習データ」が大切です。
「どのような学習データを用意するか」「どのように用意するのか」は人間が理解しておく必要があります。

たとえば、AI システムが正確な予測をするためには、正しく学習することが必要になります。もし、人間の子どもが、本来は「タコ」なのに「イカ」だと教えられて育ったら……本物のタコを見せられても「イカ」だと答えますね。このように、「どのようなデータを学習させるか」など、データについての知識が必要です。

画像認識や物体認識の「データ」とは、「画像」や「写真」などのことをいいます。
また、機械学習で売り上げの予測などを行う場合は、売り上げの金額などの値を「データ」といいます。さらに、AI スピーカーなどの音声対話では、音声を「データ」といい、WEB 検索システムなどでは文字情報を「データ」といいます。このように、画像・数値・音声・文字などを「データ」と広く呼びます。

カレーの材料にゴミが混ざっていたら……

～入力データの大切さ～

「カレー」を作るアルゴリズム（作り方・手順）を考えてみましょう。もし、カレーの材料（入力）に、ゴミがたくさん混ざっていたら……。このように、入力データの質が悪ければ、質の悪いものが出力されます。

実際のデータには、欠損値（値のないもの）があったり、ラベルが間違っていたり……そのような問題が多くあります。入力となるデータを必ず確認し、質の良いデータを扱いましょう。

欠損値の例

時間	温度
9時	18度
12時	欠損値
15時	24度

1 データの基本

AI 技術の進歩にともない、整理された数字のデータである「構造化データ」に加え、画像・動画・音声などの「非構造化データ」を扱うようになりました。「どのような AI システムを作るか」によって扱うデータの種類が異なります。

構造化データと非構造化データ

AI 技術の進歩にともない、「非構造化データ」の扱いが必要になりました。

〈構造化データ〉

	年齢	性別	身長	居住
1	25	女	162	東京都
2	35	男	180	北海道
3	50	男	175	大阪府
4	42	女	155	宮崎県

〈非構造化データ〉

画像、動画、音声など

質的データと量的データ

上の〈構造化データ〉の表のなかで、「年齢」と「身長」は数字で書かれていますね。このように数値で書くことができるデータを「量的データ」といいます（例：身長、体重、時間、温度……）。

一方で、「性別」や「居住の都道府県」など、数値で表すことができないデータを「質的データ」といいます。分析する際には、ラベルに数値を対応させて行います（例：性別の場合は、男を 1、女を 2 など数値化）。

「主観」と「客観」

たとえば、「あのロボットは、どのくらい動きましたか？」と聞いたところ、花子さんは「ちょっと動きました」と答えました。太郎さんも「ちょっと動きました」と答えました。

「ちょっと」動きました

「ちょっと」動きました

さて、どちらの方がよく動いたのでしょうか？

「Basic 1　論理的に考える方法」の「1．比べる」を思い出してみましょう。比べるには、具体的な数字にする必要がありましたね。**「ちょっと」**というのは、「人の主観」なので、具体的に何 cm/m なのかを調べないと、比べることができません。数字で比べることができるデータを「客観データ」（定量データ）といいます。

	ロボットの動いた距離
花子さん	3 cm
太郎さん	30 cm

2 学習データの扱い

データを扱うときに、「データの質」が重要です。
まずは、破損したデータ、欠損値、入力ミスなどに事前に注意することが必要です。これらのデータは「ダーティデータ（汚いデータ）」といわれ、きれいにする作業（データクレンジング）が必要です。

データクレンジング

「クレンジング」は、主に化粧を落とすときに使う言葉ですが、データの世界では、「データの汚れを落とす」という意味があります。
たとえば、文字データにおいては、全角や半角の違いでエラーになっている場合、重複データなど、明らかに原因が特定される場合、不適切なデータは除去する必要があります。

画像認識では、学習すべき画像データでないものが混ざっている場合、人間の目で見ても判断に困るような画像、ラベルの間違いなどがある場合があります。このように明らかに不適切なデータは除去することが必要です。なお、このような作業はコンピュータで自動的に行うこともできます。できる限り自動化して行うのが効率的です。

画像の学習データの水増し（データ拡張）

画像の学習データは、どのように準備すればよいのでしょうか。

・自分で取得する

・公開されているデータを使用する

しかし、大量のデータを準備することは、大変です。

そこで、少ないデータで学習する場合は、「水増し」などのテクニックがあります。「水増し」というのは、元の画像を加工して、画像の枚数を増やすことをいいます（データ拡張）。

たとえば、反転（左右／上下）、回転、拡大・縮小、変形、背景を変える、ノイズを増やす、コントラストを調整する、平滑化、トリミングなど……

ただし、「過学習」といって、特定のデータで学習しすぎて、それ以外の一般的なデータの予測には弱くなってしまう可能性も高まるので注意が必要です。

3 機械学習データ作成の体験

機械学習を体験して、入力データの大切さを学びましょう。

Google が提供している「Teachable Machine」という WEB サイトでは、簡単に機械学習が体験できます。

自分で写真をあらかじめ準備しても、自分のパソコンのカメラで撮影しながらでも、機械学習の体験ができます。

Teachable Machine（ティーチャブルマシーン）

https://teachablemachine.withgoogle.com/

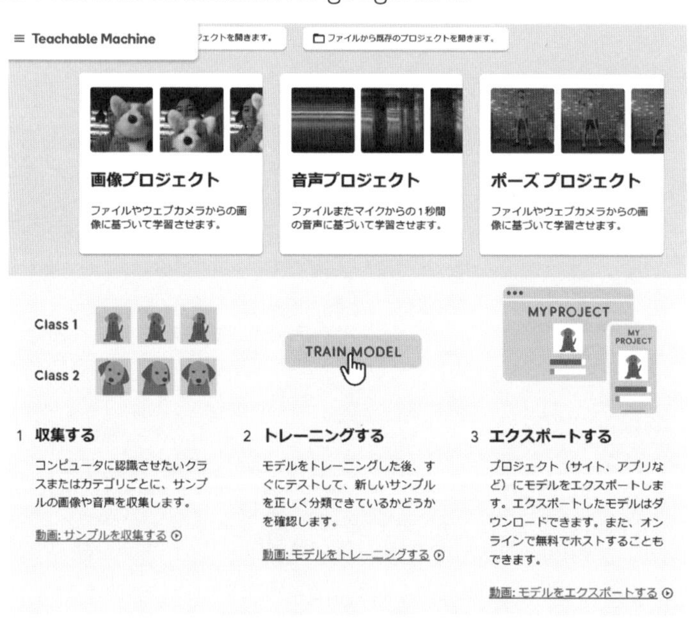

▶ やってみよう！ 機械学習で２つの分類を行う

（例）リンゴとマグカップの分類を体験する

① Teachable Machine（ティーチャブルマシーン）の WEB サイトへ行く。

②「画像プロジェクト」をクリックして、「標準の画像モデル」をえらぶ。
（もちろん、「音声プロジェクト」「ポーズ〔姿勢〕プロジェクト」でも OK）

③ウェブカメラ Class1、Class2 の画面でウェブカメラを起動する。
Class1 では、「リンゴ」を、Class2 では、「マグカップ」を撮影しましょう。
※「リンゴ」「マグカップ」をいろいろな角度から撮影します。

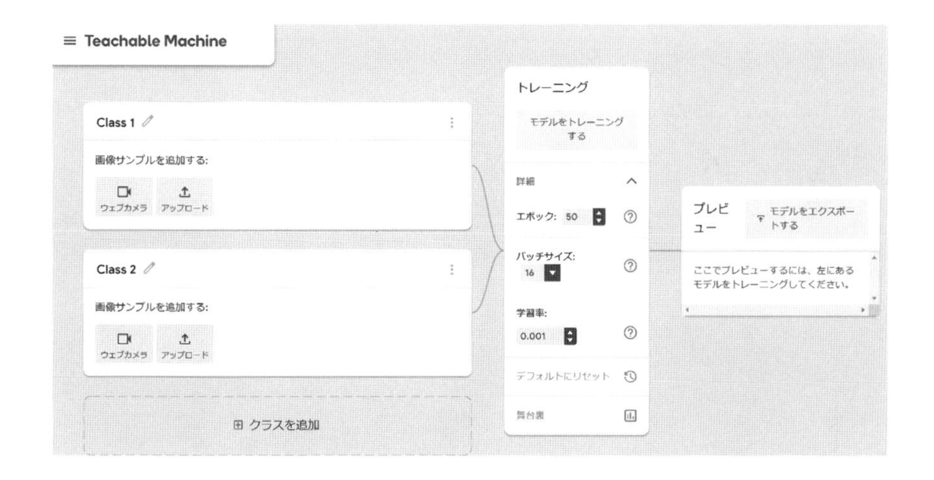

④「モデルをトレーニングする」をクリック
トレーニング（学習）が終わると、プレビューのカメラが起動します。
「リンゴ」か「マグカップ」を映してみましょう。

4 学習データのバイアス（偏り）

教師あり機械学習の学習データを集めるときに、バイアス（偏り）に注意する必要があります。AI は、学習したデータだけで判断するからです。
「学習データとして、どのようなデータを集めるのか？」は、AI が正しい判断をするうえで重要な問題です。

もし、私たち人間が、タコを「タコ」、イカも「タコ」と教えられて育ったら、イカとタコの違いを判断することはできませんね。同じように、AI が正しく判断するためには、学習するデータを正しく集めることが必要です。

（例）ラベルを間違えて学習した場合

本来「イカ」なのに「タコ」と間違えて学習した結果、「イカ」を「イカ」と判断できずに「タコ」と予測してしまう。

学習したデータ

AI は、正しい判断ができず、
この画像を「タコ」と予測する。

（例）偏りのあるデータを学習した場合

AIが「イヌ」と「ネコ」の分類をする場合に、「白いイヌ」だけを「イヌ」として学習し、「黒いネコ」だけを「ネコ」と学習させた結果、AIは、「黒いイヌ」を見て「ネコ」と判断してしまう。

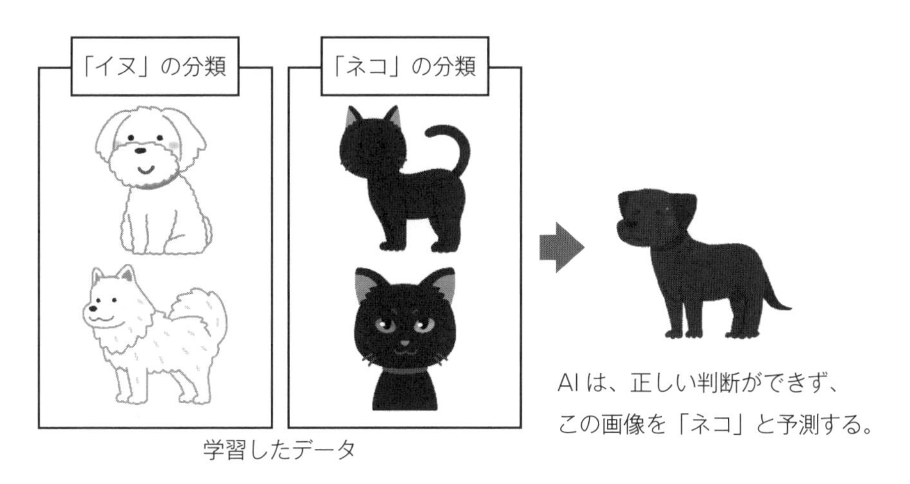

データの偏りを防ぐための知恵

・データの偏りをなくすために、複数のソースなどから、まんべんなくデータを集めてくること。
・データを集める際に個人の主観が反映されないように、複数人で集めるなど、集める人の多様性を確保する。
・データを定期的に見直す。
・AIが正しい判断ができていない（予測結果が間違っている）場合は、その理由を分析して考える。

Chapter 4

自然なインタラクション

人と人が話をしたり、雑談をしたり……
人の表情を見て、その人の気持ちがわかったり……
複数の人と一緒に、話しながら作業をしたり……

人と人のコミュニケーションでは、「当たり前」にできています。
しかし、人と関わるAIシステムにとっては、とても難しいことです。
AIがその「当たり前」を行うためには、たくさんの知識が必要なのです。

それは、なぜでしょうか？

ここでは、「自然なインタラクション」について学びます。

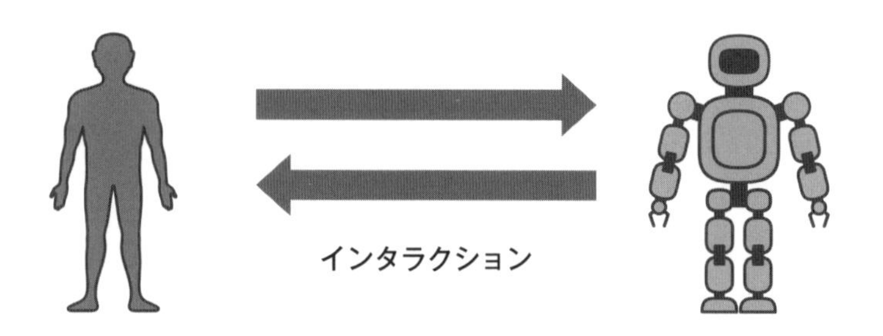

インタラクション

人が話や行動をするときに、その話や行動が一方通行にならずに、相手のAIシステムが、その話や行動に反応して対応すること（インタラクションの定義はとても難しいので、研究者によってことなります）。

人は相手に共感しながら話をしている

～人とAIシステムの対話の難しさ～

人と対話をするAIシステムにとって、人が「悲しんでいる」「喜んでいる」などの感情を理解することはとても大切です。

もし、人が悲しんでいるときに、無神経な話をしてしまうと、そこで対話が終わってしまいますね。

さて、例題です。たとえば、仲の良い友達のA子さんが、

「昨日、とても大切な友達の誕生日だったの。1週間前に、素敵なプレゼントをインターネットで買ったのだけど、届くのが遅くて。今日届いたけれど、結局渡せなかったの。返品できるかしら？」

といいました。

さて、あなたは、どう答えますか？

①「返品は不可能です」

②「それは大変だったね。友達に明日渡してみたらどうかな。
　遅れていても、きっと喜ぶと思うよ」

AIは①のような答え方をします。最後の「返品できるかしら？」という問いに対して答えを出します。でも、A子さんの言葉の本質はそこではありませんね。

「渡せなかった気持ち」を考えると、②のような答えになりますね。

1 音声認識

スマートフォンやスマートスピーカーでは、「音声」を用いた検索などが簡単にできます。スマートフォンで、「音声」を入力として、文字を表示することなどもできます。人間の声などをコンピュータに認識させることを「音声認識」といいます。

「音声認識」を使ったAIシステム

音声認識の技術を使ったAIアシスタントを考えてみましょう。
たとえば、スマートフォンなどを使って、天気を確認すると……

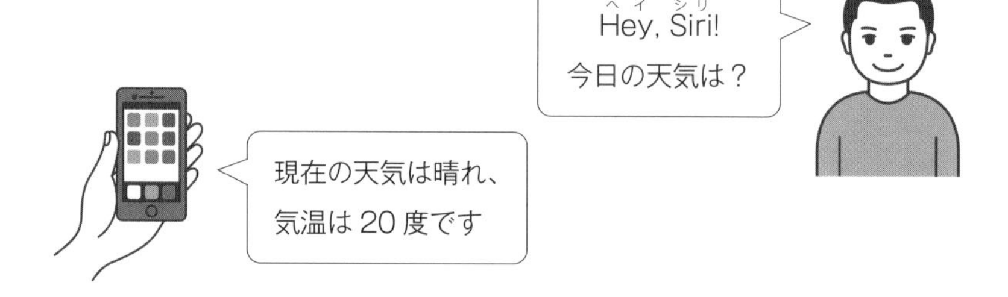

①音声がマイクを通して入力される→②言葉に変換される→③言葉の意味を検索する→④適切な返事を予測する→⑤最適な返事を判断する→⑥返答する

音は、空気の圧力の変化が伝えられ、波の形で表されます。
その圧力の高／低で、音の聞こえ方が変わります。
音声は、1文字ずつの波形を見ることで、何という文字かわかります。

音声知覚と音声認識

～音の特徴をとらえて認識～

知覚とは、その物体の特徴や構造がわかること。

（例）「あ」という音声認識のしくみ

①音から特徴を知覚する

（音圧が高い、低い……）

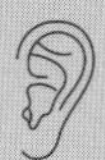

知覚

②その音の波形のパターンから、

同じような波形パターンを見つけ、

「あ」の波形パターンの音であることがわかる

認識

※ AI アシスタントは、音声を認識する以外にも多くの処理をしています。その技術を「自然言語処理技術」といいます。

（人に例えると、音声認識は聴覚、自然言語処理は脳の処理にあたります。）

2 自然言語処理

人が書く言葉や話す言葉、すなわち、「人間の言葉」をコンピュータで処理する技術のことを、「自然言語処理」といいます。

コンピュータにとっての言語は、プログラミング言語（Python（パイソン）、C 言語など）を指すため、人間の言葉を「自然言語」と呼んで区別しています。

自然言語処理のしくみ（日本語）

「AI 検索」や「AI 翻訳」は、どのように行われているのでしょうか？

もしも、人間の言葉を 1 音 1 音処理していたら、コンピュータは、処理が膨大になってしまいます。そのため、自然言語処理では、単語や文章の特徴を見つけて数値化しています。

また、自然言語処理は、英語と日本語では異なります。日本語は、英語のようにスペース（空白）で単語が区切られていないので、まずは文章から単語を切り出すことが必要です。この単語を切り出す方法を「形態素解析」といいます。

▶ 形態素解析：単語の切り出し

文章から単語を切り出して、品詞のラベルを付けていきます。MeCab というオープンソースの形態素解析エンジンも使いながら考えていきましょう。

（例）明日の天気は晴れです。

明日	の	天気	は	晴れ	です	。
名詞	助詞	名詞	助詞	名詞	助動詞	記号

} 形態素解析

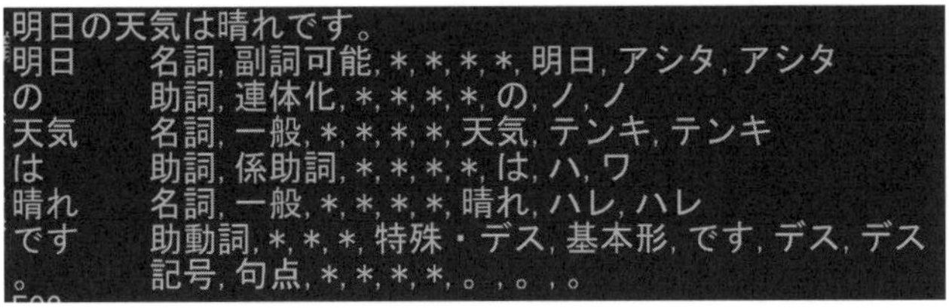

```
明日の天気は晴れです。
明日	名詞,副詞可能,*,*,*,*,明日,アシタ,アシタ
の	助詞,連体化,*,*,*,*,の,ノ,ノ
天気	名詞,一般,*,*,*,*,天気,テンキ,テンキ
は	助詞,係助詞,*,*,*,*,は,ハ,ワ
晴れ	名詞,一般,*,*,*,*,晴れ,ハレ,ハレ
です	助動詞,*,*,*,特殊・デス,基本形,です,デス,デス
。	記号,句点,*,*,*,*,。,。,。
```

「MeCab」（下記参照）による解析結果。下の図も同様。

（例）AI リテラシーは大切です。

AI	リテラシー	は	大切	です	。
名詞	名詞	助詞	名詞	助動詞	記号

} 形態素解析

```
AIリテラシーは大切です。
AI	名詞,固有名詞,組織,*,*,*,*
リテラシー	名詞,一般,*,*,*,*,*
は	助詞,係助詞,*,*,*,*,は,ハ,ワ
大切	名詞,形容動詞語幹,*,*,*,*,大切,タイセツ,タイセツ
です	助動詞,*,*,*,特殊・デス,基本形,です,デス,デス
。	記号,句点,*,*,*,*,。,。,。
```

※**無料オープンソース「MeCab（メカブ）」** https://taku910.github.io/mecab/
簡単に形態素解析が体験できます。
京都大学情報学研究科－日本電信電話株式会社コミュニケーション科学基礎研究所 共同研究ユニットプロジェクトを通じて開発されました。

自然言語処理の流れ（日本語）

日本語の文章の処理の流れは、「単語」→「文章」で行われます。

- **単語**

①形態素解析：単語の切り出し、品詞のラベル付け

②単語の意味解析：同義語、多義語

- **文章**

③構文解析

④文章の意味解析

⑤文章の文脈解析

単語の意味解析

- **同義語**（例）あさ・アサ・朝

……ひらがな・カタカナ・漢字のように表記は異なるが、意味は同じ

- **多義語**（例）あさ（朝・麻）、くも（蜘蛛・雲）

……意味が複数ある言葉

構文解析

文章の「主語」「述語」「目的語」などの関係をしらべます。

（例）明日の天気は晴れです。

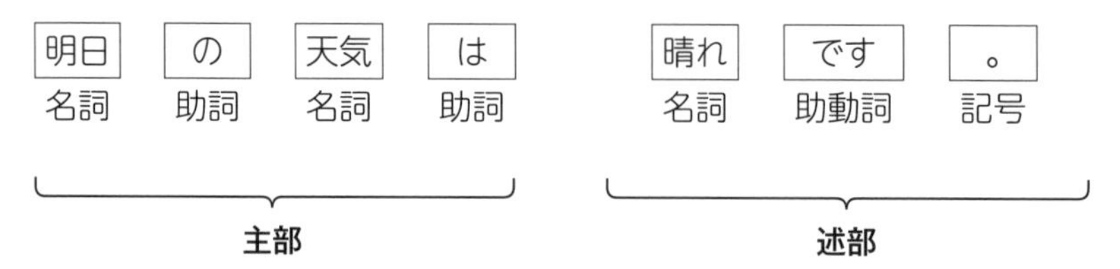

文章の意味解析

推測された複数の構文のなかで、文章の意味から最適なものを探します。「いつ」「どこで」「だれ／何が」「何を」「どんなだ」を考えます。

（例）明日の天気は晴れです。

「何が」：明日の天気「どんなだ」：晴れ

「いつ」：今日の情報

文章の文脈解析

複数の文章から、文脈を推測します。機械学習などの方法も使われます。

（例）明日の天気は晴れです。その次の日は、雨です。

※「その」が何を示すか、コンピュータはわからないので、
複数の文章から文脈を推測することが必要です。

2018年Googleが「BERT（バート）」というAI手法を発表

BERTを用いることによって、翻訳・文書分類・質問応答などにおいて過去最高の結果を示し、文脈理解の精度が大幅に向上しました。ラベルなしの大量データを事前に学習できるので（事前学習）、ウィキペディアを学習するなどで事前学習することができ、さまざまな用途に応用ができます。

また、「感情分析」（その文章が「ポジティブ／ネガティブ／ニュートラル」なのかの判断）などにも用いられています。

3 人の対話の難しさ

人と AI が円滑な対話コミュニケーションを実現していくには、音声認識と自然言語処理だけでは解決ができない問題がいくつかあります。

文脈

人間同士の対話では、言葉の省略が多く、文脈を読み取って、対話が成り立っています。

（例）人間：「今晩、どうする？」「私、カレー」
（コンピュータの解釈：「今晩、あなたは何をしますか？」「私は、カレーという名前です」→意味が通じない）

表情や声色などの非言語情報の影響

たとえば、あなたが人に頼みごとをしたとします。
同じように「はい」といっている人が 4 人います。
本当に「いいですよ」という意味で「はい」といっている人は誰ですか？

人は、無意識に、表情や声色などの非言語情報からも感情の情報を読み取っています。

雑談AI？

～考えてみよう！～

日々の人間同士の関わりのなかで、特にテーマを決めないで、お互いに自由に気軽にたわいのない話をすることを「雑談」といいます。雑談の目的は、コミュニケーションを円滑にすることなので、うまく雑談をするには、人と「共感」も考慮する必要がでてきます。

たとえば、人が「○○のカレー、おいしかったわよ」といったら、ロボットが何と答えれば、雑談ができることになるのでしょうか？
……非常に難しい問題です。

たとえば、ロボットが共感を考えて「そうですね、僕もおいしかったと思います」といえば、「ロボットはカレーを食べられないのに？」と思われます。しかし、一方的に知識をいえば、辞書や検索エンジンと同じです。でも、そのバランスは人間でも難しいのです。ロボットが「はい、おいしそうですね。また、僕の調べによると有機野菜を使っているようです」ということも難しそうです。

さらに、大きな問題は、ロボットがマニュアル通りに共感したとして、人との会話は円滑になるでしょうか？　ロボットを通じて、私たち人間が、雑談の本質に気づかされることもありそうです。

4 感情認識

人間は、話すとき、言葉の言語情報だけではなく、「表情」や「身振り」などの非言語情報を用いて感情などを伝えています。たとえば、人間なら、相手が非常に悲しい気持ちであることがわかっていれば、「大丈夫なので気にしないでください」といわれても、その悲しい感情を理解して、言葉を選んで話をします。このように、人間は、人の言葉と感情を受け取って、次の発言や行動を決めています。

コンピュータにとって、人の感情を読み取ることは非常に難しいといわれていますが、近年では、顔の表情から感情を読み取る AI システムが開発されはじめています。

顔認識

カメラを用いて人の顔を認識する技術を「顔認識」といいます。

物体認識技術の「物体」を「顔」として考えるとわかりやすいですね。

デジタルカメラやスマートフォンで写真を撮影する際にも、顔を認識して四角の枠が出てくることがあると思います。

「顔認識」は、スマートフォンの顔認証を用いたロック解除システムや、防犯カメラ映像からの容疑者特定などに用いられる AI 技術です。

表情から感情を読み取る

「楽しみ・嫌気・悲しみ・恐れ・怒り」などの感情があります。

このような感情を表情から読み取るAI技術があります。

たとえば、米国のマサチューセッツ工科大学から独立したAffectiva社では、顔の表情から感情を読み取る「感情認識AI」を開発し、実際にいろいろなことへ応用されています。

たとえば、「Tega」とよばれるロボットに搭載し、子どもの感情に応じてロボットが行動できるようにして、子どもの語学学習の支援を行いました。具体的には、子どもが「いら立ち」や「飽き」を感じたら、ロボットも一緒に遊んだり、子どもが興奮していればロボットも同調して興奮したり、さらに、集中力が切れたときは気を散らすような行動をしました。

（子ども）いら立ち・飽き

（ロボット）一緒に遊ぶ

感情認識AI「Affdex」（Affectiva社）

45個の顔の筋肉の動きをコンピュータで分析して、表情から感情を読み取る感情認識AIです。

700万件以上の表情データをもち、教育、動画制作、車の運転、広告、ゲーム等に応用されています。

5 人と関わるロボット

社会のなかで人と共存して活動したり、人とコミュニケーションをとったり……そのようなロボットのことを「コミュニケーションロボット」「ソーシャルロボット（社会的ロボット）」「人と関わるロボット」といいます。

社会のなかで、人と共存して活動するロボット

AI 技術を用いて、人と対話などのコミュニケーションをする、接客をする、人を助けるなどを目的としたロボットが開発されています。

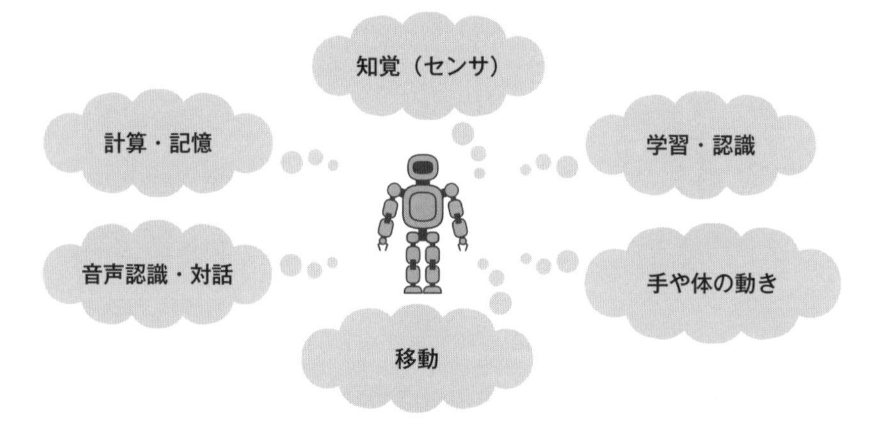

人が人と関わるときには、同時にたくさんの機能を使っています。

しかし、ロボットにとっては、同時に複数の機能を組み合わせて使うことは難しい技術です。多くのロボットは、目的に応じて必要な機能が搭載されて活躍しています。

人と関わるロボットの活躍例

●接客ロボット

レストラン・ホテル・病院などで活躍しています。

来店した客の受付や案内、商品のバーコードの読み取り、お金を受け取ることなどができます。

お客さんの目線では、エンターテインメントとしての楽しさや感染症の不安の削減のメリットがあります。経営者の目線では、人手不足の解消、集客などのメリットがあります。

●遠隔教育ロボット

ロボットとタブレットを用いて、塾の授業等を行います。子どもが先生役のロボットと対話しながら学習を進めます。子どもの視点では、品質が一定以上に保たれた授業がどこにいても受けられるメリットがあります。経営者の目線では、講師不足を解消するメリットがあります。

特に、昨今の感染症の影響により、ロボットが急速に活躍するようになりました。警備・消毒・配膳・配送・案内・検温・マスク着用検知・医療・介護・調理など、さまざまな分野において安全・安心な生活や経済活動を行うためにAIロボティクス技術は期待されています。

Basic 4

いろいろな視点で考える方法

AI リテラシーを学ぶための、最後の土台作りです。
ここでは、「いろいろな視点で考える方法」を学びます。

社会のなかで活躍する AI を理解するためには、
AI のしくみを学ぶことともに、AI を正しく理解するための土台が大切でしたね。

これまでは、「Basic 1　論理的に考える方法」「Basic 2　システムをデザインする方法」「Basic 3　データを扱う方法」を学びましたが、最後は、社会のなかで活躍する AI を、いろいろな角度から評価できるようになるための方法を学びましょう。

● **いろいろな視点で考える**

① 自分にとっての「一番良い」を整理する
② みんなの「一番良い」を比べる
③ 自分と関わる人の立場の視点で考える
④ 意見を 1 つにまとめる

社会のなかでは、さまざまな視点や価値観がぶつかります。

多様性の社会で、自分にとって「一番良い」と思う提案や方法は、他の人とは異なる場合があります。でも、自分とは異なる立場の人の視点に立つと、立場の違いによって、重要だと思う評価ポイントが異なることに気づきます。

「自分にとって良い」「自分にとって悪い」という方法だけで評価するのではなく、いろいろな視点で考えることができると、AI システムの正しい理解へとつながります。

そのためには、まず、自分にとっての「一番良い」を頭のなかで整理して、言葉で伝えることから始まります。そのうえで、他の人の「一番良い」を聞いて、違いを見つけてみましょう。考え方や意見が違うということは、決して自分が否定されていることではなく、視点が違うだけだということを学ぶと、多様な意見とうまくつきあえるようになりますね。

また、AI システムは、人が作ったものです。

人が作ったものには、作った人（設計者）の目的や意図が必ずあります。

「なぜ、何のために？」と目的や意図を考え、設計者の目線も推測しながら、AI システムへの理解を深めていきましょう。

1 自分にとっての「一番良い」を整理する

多様性の社会で、自分にとって「一番良い」と思う提案や方法は、他の人とは異なる場合があります。そこで、まずは、自分にとって「一番良い」とは何かを整理して考える方法を学びます。

・「自分は、どうして一番良いと思っているのか？」

・「自分は、どのような特徴を一番良いと考えているのか？」

「マイバーガー」を自由に考えてみよう！

①自分にとって「一番良い」と思う「マイハンバーガー」を考えてみましょう。

②ハンバーガーにその特徴がわかる名前をつけてみましょう。

形容詞を使うとわかりやすくなります。

（例）「格安バーガー」「ヘルシーバーガー」「簡単バーガー」

「美しいバーガー」「高級バーガー」……

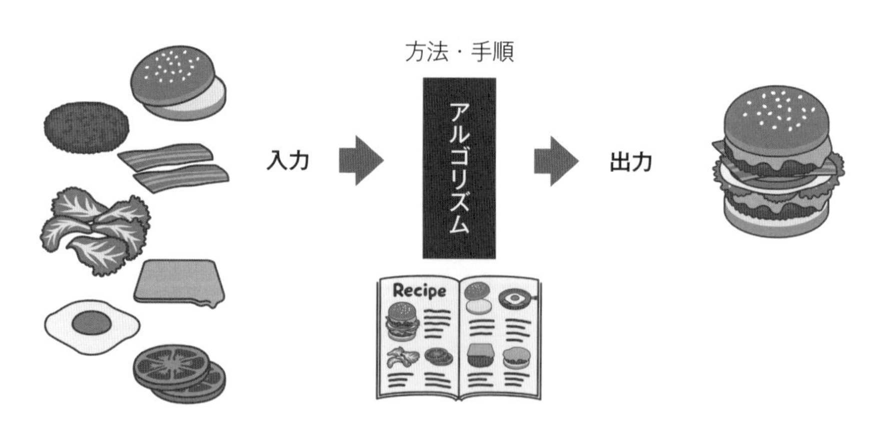

「一番良い」を説明するような特徴を見つける

マイバーガー（自分が一番良いと思うハンバーガー）の特徴を見つけましょう。身近な人にも聞いてみましょう。

● ポイント：ここが大切！
自分にとって「一番良い」と思う「マイバーガー」について、
「なぜ、それが一番良いのか」を考えましょう。
※説明する形容詞などが役に立ちます。

（解答例）
①「格安バーガー」……「安い」、②「ヘルシーバーガー」……「健康に良い」
③「簡単バーガー」……「作り方が簡単」、④「美しいバーガー」……「見た目が美しい」、⑤「高級バーガー」……「高級感がある」

「なぜ良いのか」説明する

特徴を使って、説明をしてみましょう。

● ポイント：ここが大切！
「○○なので」を使って、論理的に説明をしてみましょう。
（参考：「Basic 1　論理的に考える方法」）

（解答例）「安い方が良いので、格安バーガーが良いと思いました」
「健康に良いことが大切だと思ったので、ヘルシーバーガーが良い」

2 みんなの「一番良い」を比べる

自分の「一番良い」と他の人の「一番良い」を比べてみましょう。
・他の人の「一番良い」をよく見て、特徴を見つけましょう。
・その特徴から、ハンバーガーがどのような点に注目されて評価されているのか、整理しましょう。

▶評価ポイントを見つける

身近な人に、一番良いと思うハンバーガーを聞いてみましょう。

また、どのような点で一番良いと思っているのかを聞いてみましょう。

さらに、ハンバーガーがどのような点に注目されて「一番良い」と評価されているのかを考えましょう。

①「格安バーガー」……「安い」　→「価格が高いか安いか」
②「ヘルシーバーガー」……「健康に良い」　→「健康に良いか」
③「簡単バーガー」……「作り方が簡単」　→「作り方が簡単か」
④「美しいバーガー」……「見た目が美しい」　→「見た目が美しいか」
⑤「高級バーガー」……「高級感がある」　→「高級感があるか」

ポイント：ここが大切！

「一番良い」が人によって異なることに気づきましょう。

他人との「一番良い」に対する考え方の違いが、**「ハンバーガーを異なるポイントで評価しているだけ」**ということを知りましょう。

（あなたの意見や考えを否定しているわけではありませんね。）

みんなの「一番良い」を比べる

みんなの「一番良い」は、人によって異なることがわかりましたが、このままでは、意見をまとめることはできません。

そこで、「評価ポイント」を使って、比べる表を作ってみましょう。

（評価ポイントは、もっと増やしてもよいです。）

● マイバーガーの評価

評価ポイント	1点	2点	3点	4点	5点
価格	高い	やや高い	どちらでもない	やや安い	安い
健康に良い	悪い	やや悪い	どちらでもない	やや良い	良い
作り方	難しい	やや難しい	どちらでもない	やや簡単	簡単
見た目	悪い	やや悪い	どちらでもない	やや良い	良い
高級感	ない	ややない	どちらでもない	ややある	ある

この表を見て、自分が大事にしている評価ポイントに○をつけてみましょう。

（「安い」ことを重視するなら、「価格」が安いというところに○をつけます。）

● ポイント：ここが大切！

いろいろな人の「評価ポイント」（価格、健康に良い……）を知り、「自分にとって一番良い」ということを「数値化」します。

自分が何を重視して「一番良い」と評価したかを客観的に見ます。

自分と関わる人の立場の視点で考える

　社会では、自分の選択に影響される人が必ずいます。
　たとえば、自分がたくさん外食をすると、レストランの立場からは、大変ありがたい顧客です。一方で、お金を使いすぎたり、暴飲暴食で健康を損なったりすれば、家族は悲しみます。家族や医者の立場で考えると、外食を減らすように助言するかもしれません。
　ここでは、「立場の違う人」の視点で考える方法を学びましょう。

異なる立場の人の視点を考える

もしも、あなたがハンバーガーを毎日食べたら……

　もしも、あなたがハンバーガーを毎日食べたとします。
　あなたの「ハンバーガーを毎日食べる」という行動に対し、異なる立場の人の視点に立って、その人たちの意見を考えてみましょう。

（例）

①　ハンバーガーショップの経営者

②　友達

③　保護者

④　医者

　このような関係者を「利害関係者（ステークホルダー）」といいます。
　たとえば、ビジネスで使用される場合には、会社に利益／損害があった場合に、その影響を受ける組織や人たちのことを指します（株主、経営者、従業員、顧客、取引先など）。

● さまざまな立場の人の視点で考えよう

①ハンバーガーショップの経営者

「大変ありがたいお客様」

↓

お店の経営が第一なので、利益を優先して考える

②友達

「面白い友達」「ハンバーガーが好きな友達」

↓

話題性や友達との共感性を優先して考える

③保護者

「お金がもったいない」「健康が心配」

↓

保護者の責任があるので、子どもの教育や健康などを優先して考える

④医者

「健康が第一」

↓

医学的な専門家なので、病気にならないことを優先して考える

● ポイント：ここが大切！

立場の異なる人によって、事情もさまざまです。「何を優先して考えているか」で、意見が異なることを知りましょう。

意見を1つにまとめる

自分にとって「一番良い」と思っていても、人によって意見が異なることがわかりました。しかし、この異なった意見をまとめていかなければならないときは、どのようにしたらよいのでしょうか？

意見を整理する

もしも、ハンバーガーの新商品として１つを選ぶとき……

①ハンバーガーの新商品を出す目的を決める

（例）高齢者の新規顧客の獲得

②ターゲットとする人たちを決める

（例）普段ハンバーガーを食べないようなシニア層

③評価ポイントに優先順位をつけて、重みを決める

（例）健康に良い（× 4）、高級感（× 3）、見た目（× 2）

評価ポイント	重み	１点	２点	３点	４点	５点
価格	× 1	高い	やや高い	どちらでもない	やや安い	安い
健康に良い	× 4	悪い	やや悪い	どちらでもない	やや良い	良い
作り方	× 1	難しい	やや難しい	どちらでもない	やや簡単	簡単
見た目	× 2	悪い	やや悪い	どちらでもない	やや良い	良い
高級感	× 3	ない	ややない	どちらでもない	ややある	ある

「重み」をつけると、評価ポイントの点数が△倍になります。

たとえば、このような表を使って、さまざまなハンバーガーについて、いろいろな人が評価を行い、結果を1つにまとめていきます。

新商品としてふさわしいハンバーガーを選ぶ

・ハンバーガー①

評価ポイント	重み	1点	2点	3点	4点	5点
価格	×1	高い	**やや高い**	どちらでもない	やや安い	安い
健康に良い	×4	悪い	やや悪い	どちらでもない	**やや良い**	良い
作り方	×1	難しい	**やや難しい**	どちらでもない	やや簡単	簡単
見た目	×2	悪い	やや悪い	どちらでもない	**やや良い**	良い
高級感	×3	ない	ややない	**どちらでもない**	ややある	ある

合計点数：（価格2点×1）＋（健康4点×4）＋（作り方2点×1）＋（見た目4点×2）＋（高級感3点×3）＝37点

・ハンバーガー②

評価ポイント	重み	1点	2点	3点	4点	5点
価格	×1	高い	やや高い	どちらでもない	**やや安い**	安い
健康に良い	×4	悪い	やや悪い	**どちらでもない**	やや良い	良い
作り方	×1	難しい	やや難しい	どちらでもない	**やや簡単**	簡単
見た目	×2	悪い	やや悪い	**どちらでもない**	やや良い	良い
高級感	×3	ない	**ややない**	どちらでもない	ややある	ある

合計点数：（価格4点×1）＋（健康3点×4）＋（作り方4点×1）＋（見た目3点×2）＋（高級感2点×3）＝32点

合計点数の結果から、ハンバーガー①を選ぶ方が良いことがわかります。

Chapter

5

AIの社会的影響

私たちの社会のなかで、さまざまな AI システムが活躍しています（Prologue の第 4 節「社会の変化と AI」）。

そして、日常的に子どもたちの身近にもスマートフォンなどを通じて、AI の影響が及んでいます。たとえば、SNS やショッピングサイトの広告表示システム、メールフィルター、検索エンジンなども、AI のシステムが利用されています。

このような AI とうまくつきあうために、客観的にその影響を考える方法が大切です。

ここでは「Basic 1　論理的に考える方法」「Basic 4　いろいろな視点で考える方法」が基本となります。自分の視点だけでなく、自分とは異なる立場の視点からも AI 技術のプラスの面（メリット）とマイナスの面（デメリット）を考えながら、うまくつきあう方法を学びましょう。

● **その前に何よりも大事なこと……**

新しい技術は、社会で人の役に立つために用いられます。

人を幸せにするために新しい技術を開発したり用いたりするのであって、人を傷つけたり差別するためには絶対使ってはいけないということ。

ICT も同じで、パソコンを人を傷つけるために使ってはいけませんね。

新しい技術とうまくつきあうために……

「自動車」を考えてみましょう。

どのようなプラスとマイナスの面がありますか？

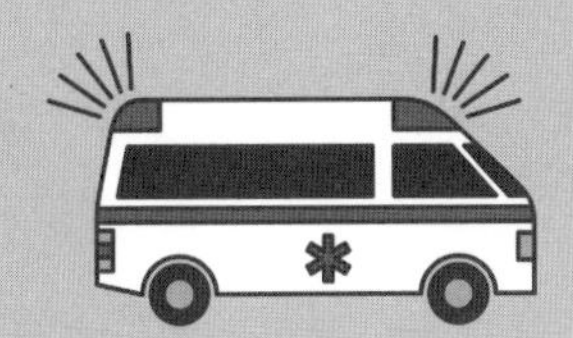

プラスの面は、非常に便利な乗り物で、たとえば、病気などの救急時には早く患者を運ぶ、火事や事件などへの対応や物流などがあげられると思います。一方、マイナスの面は、環境への負荷や、事故で死者が出る可能性などがあります。

さて、人が自動車とうまくつきあうためには、何が必要か考えてみてください。……「ルールを決めること」と「人がルールを知り、守ること」の2つがとても大切ですね。

AI技術も、同じです。AIについては、たとえば、AIの活用や開発を行う企業などは、「AI倫理ガイドライン」というルールを決めるなどを行っています。ただ、AIは扱う範囲がとても幅広いので、一概に具体的なルールを決めるのが難しいという問題もあります。

そのため、AIを正しく理解するためのある程度の土台を教養として作っておくことが重要になります。AIリテラシーを学び、AIの社会的影響を考えられる方法を身に付けておきましょう。

広告表示システム

インターネットのショッピングサイトや、検索サイト、動画サイト、SNS などでは、さまざまな広告が表示されていますね。
この社会的影響をいろいろな視点で考えていきましょう。

身近な WEB サイトで広告を探してみよう

スマートフォンやパソコンで身近な WEB サイト（ショッピングサイトや、検索サイト、動画サイト、SNS）を見て、「広告」を探してみましょう。
①どこに広告がありますか？
②いつも同じ広告ですか？
③みんな同じ広告ですか？

しくみを考えよう

【入力】インターネットショッピングの過去の購入履歴や閲覧履歴など
【出力】その人が好きそうな広告を予測して表示する

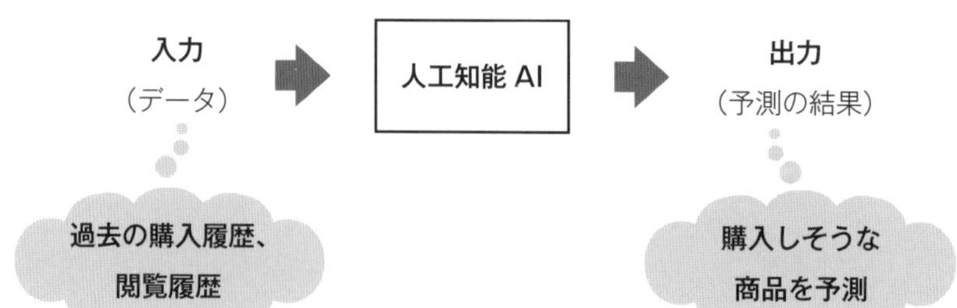

「プラスの面」「マイナスの面」を立場の違う視点で考えよう

本人（利用者）の立場と、お店（経営者）の立場から、広告表示システムのプラスの面とマイナスの面を考えてみましょう。

	プラスの面 （メリット）	マイナスの面 （デメリット）
本人 （利用者、ユーザー）	● 便利 ● 買いたい物がすぐ見つかる	● 衝動買いしやすい ● 本当に買いたい物ではないのに、買ってしまう
お店 （経営者）	● 利益が上がりやすい	● 広告費がかかる

広告表示システムは、利用者にとっては、買いたい物がすぐ見つかる便利なシステムですね。その一方で、衝動買いなどがしやすくなっています。そこに注意しながら、うまく関わることが必要です。

お店にとっては、広告費がかかっても、それ以上に、利益が上がりやすいシステムです。「お客様に適したサービスを提供している」という反面、経済的な利益を考えたシステムになっていることにも注意をしましょう。

ポイント：ここが大切！

立場の異なる人によって、事情もさまざまです。「何を優先して考えているか」を整理して、うまくAIシステムと関わっていきましょう。

2 おすすめユーザー表示システム

SNS や動画サイトなどで、「おすすめユーザー」が表示されます。
この社会的影響をいろいろな視点で考えていきましょう。

SNS や動画サイトで探してみよう

しくみを考えよう

【入力】過去のユーザーのフォロー履歴、お気に入りや発言などの履歴
【出力】その人がフォローしたくなるような、おすすめユーザーを予測

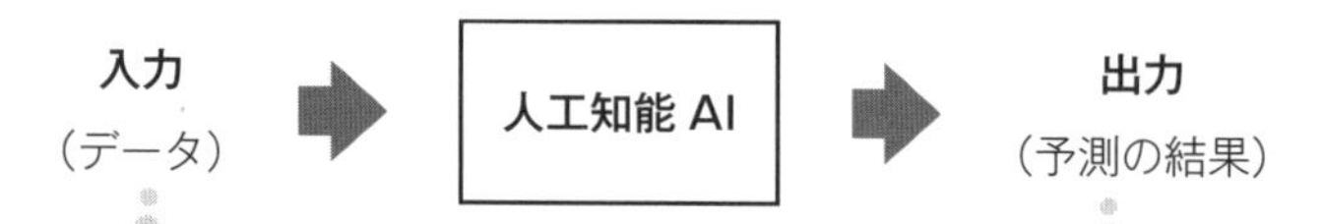

過去の
フォロー履歴など

おすすめユーザー
を予測

「プラスの面」「マイナスの面」を立場の違う視点で考えよう

本人（利用者）の立場と、経営者の立場から、おすすめユーザー表示システムのプラスの面とマイナスの面を考えてみましょう。

	プラスの面 （メリット）	マイナスの面 （デメリット）
本人 **（利用者、ユーザー）**	● 便利 ● 自分の好みのユーザーが見つかる ● 共感する、居心地が良い	● 同じ好みや意見の人ばかりとつながる ● 情報の偏りが生じる ● 意見の合わない人が少数派であると思い込み、炎上などにつながる
経営者 **（おすすめユーザーを表示）**	● 利益が上がりやすい（使用頻度が増え、クリック数が増える）	

「情報の偏り」は、自分の考えや判断に悪い影響を与える場合があります。

趣味が似た人と集まることはとても良いことですが、同じ考え方の人ばかりが集まることは、自分の考えが偏る恐れがあることも考えて、AI システムとうまく関わるようにしましょう。

3 顔認識・感情認識

顔認識や感情認識にも、プラスとマイナスの社会的な影響があります。

もし、AI が間違って判断したら……どのような問題が起こるでしょうか。

犯人逮捕の際に顔認識を用いて、AI の出した結果が間違っていたら……

学習データが不十分であったり、顔がよく見えていなかったり……AI はさまざまな理由で間違った答えを出す可能性があります。AI は、自動的に答えを出しますが、それはあくまでも「予測結果」です。

もし、AI が出した結果に頼り切って、間違って犯人を逮捕してしまった場合、マイナスの社会的影響は非常に大きいものになります。間違ってはいけない問題に、間違う可能性のある AI を使わないようにすることが大切です。

顔認識と差別の問題

顔で本人かどうかを識別する「顔認証」が便利でプラスの社会的な影響がある反面、個人のプライバシーを侵害する可能性がマイナスの社会的影響として議論されています。また、顔認識は、顔だけで「女性」「男性」などのラベルをつけることになります。これは、性別で差別することにつながると議論されています。今後も、慎重な扱いが必要な問題です。

感情認識 AI を用いて、間違って感情を理解されてしまったら……

人間の感情は、「顔」だけで完璧に読み取れるのでしょうか。話の文脈などに左右されて、感情を間違って理解されることもあるかもしれません……

感情認識 AI は、教育支援、車の運転など、さまざまな分野で応用されています。しかし、もし「犯罪捜査」「犯人の自供」などに使われたときに、AI だけに頼って、AI が間違った判断をしてしまったらどうなるでしょうか。AI を使ってよい問題とそうではない問題を、「社会的影響」のプラスとマイナスの面を考えて、人間が判断していく必要があります。感情認識 AI は、今まさに売り出されつつある状況ですが、科学的に効果が立証されていないツールもあることを忘れないで、AI とうまくつきあうことが必要です。

人間中心の AI 社会原則

日本では、AI に関する人々の不安を払拭し、積極的な社会実装を推進することを目指し、「人間中心の AI 社会原則」が定められています。

「人間中心の原則」（AI は人間の能力を拡張、AI 利用に関わる最終判断は人が行う）をはじめとして、「教育・リテラシーの原則」「プライバシー確保の原則」「セキュリティ確保の原則」「公正競争確保の原則」「公平性、説明責任及び透明性の原則」「イノベーションの原則」などがあります。プライバシーやセキュリティの問題、不当な差別をされないことなど、とても大切なことが原則として挙げられています。

出典：「AI 戦略 2019」の概要と取組状況（内閣府政策統括官）

社会の変化とAI

私たちを取り巻く社会は、これまで変化してきました。

農耕中心の社会から、工業中心となり、さらに情報社会と変化しています。しかし、人の生活が便利で豊かになり、経済発展が進む一方で、少子高齢化による人材不足・食品ロス・温室効果ガス・地域間の社会格差などの社会的課題の解決も必要とされています。このような社会的課題を解決するための方法の１つとしてAIが注目されています。

私たちの社会が抱える課題への解決

私たちの現在の社会は、少子高齢化による人材不足・食品ロス・温室効果ガスの増加・地域間の社会格差などの社会的な課題を抱えています。このような社会的課題の解決は、さまざまな分野で検討されています。

たとえば、エネルギー資源の安定的な確保とエネルギー利用の効率化などについては、再生可能エネルギーをはじめとする化石資源代替エネルギーの開発および化石資源等の開発などが行われています。また、環境問題に対しては、製品のリサイクルにかかる技術やリサイクルしやすい製品開発の推進などが行われています。

そして、その社会問題を解決するための方法の１つとしてAIが注目されています。たとえば、人材不足、医療・福祉、災害、地域間の格差、セキュリティなど多岐にわたります。

新しい社会（Society 5.0）

私たちを取り巻く社会は、狩猟社会（Society 1.0）、農耕社会（Society 2.0）、工業社会（Society 3.0）、情報社会（Society 4.0）と発展し続けています。現在の情報社会（Society 4.0）では、インターネットの普及により、パソコンやスマートフォンなどを用いて世界がネットワークでつながり、情報の入手や共有が容易になりました。しかし、人の生活が便利で豊かになり、経済発展が進む一方で、社会的課題の解決も必要とされています。

そこで、これらの新しい社会（Society 5.0）では、人工知能（AI: Artificial Intelligence）・ロボティクス・IoT（Internet of Things）などの先端技術をあらゆる産業や社会生活に取り入れ、格差なく、多様なニーズに対応したモノやサービスを提供することにより、「経済発展」と「社会的課題の解決」の両立が目標とされています。

出典：内閣府「経済発展と社会的課題の解決を両立するSociety 5.0へ」https://www8.cao.go.jp/cstp/society5_0/

スマート農業

先端技術を活用することにより、人材不足の解決に加え、高品質生産を行い、高度な農業経営を実現する「スマート農業」が推進されています。

（例）ロボットトラクタやスマートフォンで水田の水管理や作業の自動化、熟練農家の技の継承、センシングデータから農作物の生育や病気を予測。

（出典：農林水産省：https://www.maff.go.jp/j/kanbo/smart/）

スマートシティ

都市の抱える諸課題に対して、先端技術を活用しつつ、マネジメント（計画、整備、管理・運営等）が行われ、全体最適化が図られる持続可能な都市または地区を「スマートシティ」と呼びます。

（例）徹底した省エネルギーや資源のリサイクル、再生可能エネルギーの利用、環境データの取得と分析による環境対策、自動運転技術を活用した地方の交通手段確保。

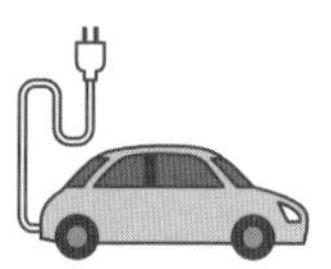

防災

避難情報の提供、救助、避難所への物資輸送などの課題解決のために、先端技術の活用が推進されています。

（例）人工衛星、地上の気象レーダー、ドローンによる被災地観測、建物センサからの被害情報、車からの道路の被害情報といったさまざまな情報を含むビッグデータを AI で解析。

第4次産業革命

「産業」はどのように変化をしてきたのでしょうか。

農耕中心の社会が変わったのは、18 世紀から 19 世紀の欧米で蒸気機関の技術を中心とする第 1 次産業革命がきっかけといわれています。そして、19 世紀の第 2 次産業革命では、電気や石油などの重化学工業による技術革新が進み、通信の分野では電話が普及しました。さらに、20 世紀後半から現在に至る情報社会は、第 3 次産業革命と呼ばれています。これからの第 4 次産業革命は、デジタル革命を前提とし、AI・ロボティクス・IoT などの先端技術を活用した技術革新といわれています。

第 1 次産業革命
蒸気機関による工業化

第 2 次産業革命
電力による大量生産

第 3 次産業革命
情報通信技術革命

第 4 次産業革命
AI・ロボティクス・IoT を活用した技術革新

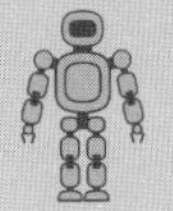

産業革命

デジタルトランスフォーメーション(DX)

「デジタルトランスフォーメーション」という言葉を知っていますか。

2004年、スウェーデンのエリック・ストルターマンは、「デジタルトランスフォーメーション(DX：Digital transformation)」という概念を提唱し、「IT(Internet Technology)が、人々の生活をあらゆる面でより良い方向に変革(変化)させる」と述べています。

デジタルトランスフォーメーション(DX)

「トランスフォーメーション」とは、「変革」を意味します。すなわち、DXを直訳すると「デジタル変革」です。ここで気をつけなければいけないのは、単純な「デジタル化」を意味しているわけではありません。「デジタル化」には、次の2つの使い方があります。

①デジタイゼーション(Digitization)

たとえば、「手書きの書類をパソコンでデジタル書類へ変換する」という単純な業務効率化のための「デジタル化」です。

②デジタライゼーション(Digitalization)

たとえば、会計書類をデジタル化して、そのデータを用いた売上予測や在庫の最適化などを行い、組織のビジネス戦略や社会全体までも良い方向に変革するための「デジタル化」です。このデジタル化は、AI技術の発展にともない急速に進化しています。最先端のIT企業だけではなく、農業、小売店、医療、福祉、産業など、私たちの日常で変化しつつあります。

（例）お店のデジタルトランスフォーメーション（DX）

① 会計書類（紙媒体）などのデジタル化

② ①のデジタルデータを用いた売上予測・在庫管理など

デジタイゼーション：Digitization　デジタライゼーション：Digitalization

業務効率化　経営戦略

さらに、このようなプロセスを全体的に「デジタル化」することにより、組織や企業において、インパクトのあるイノベーション（技術革新）が起こりつつあります。

たとえば、無人コンビニエンスストアを考えてみましょう。

紙媒体を電子ファイルへデジタル化し、そのデータを用いて在庫管理や売上予測まで行います。さらに、AI技術を活用し、セルフレジを設置し、お店にはカメラを複数台設置することにより、店舗内では無人で運営しています。このような無人コンビニエンスストアは、社会問題の１つである少子高齢化による人材不足を解消する方法として注目されています。一方で、カメラやセルフレジのコストが高い、システムは必ず安全とはいえない、予測不可能な事態に対応できないなどのデメリットもあります。

デジタルトランスフォーメーション（DX）は、個人や企業内を超えて、「ITで人々の生活をより良くするために社会全体を変革すること」を示して用いられることが多い言葉です。今後、AI技術は、あくまでも人々の生活をより良くするために活用されるように、私たち１人１人が教養をもち、社会を守っていくことが大切です。

【解説】プログラミングやAIを学ぶということ

岡田浩之

文部科学省は、小学校の時期からの情報活用能力の育成とプログラミング教育導入をねらいとして、①論理的思考力の育成、②便利な生活が情報技術で支えられていることの気付きなどを挙げ、その成果として、プログラミング的思考を教科等で学ぶ知識や技能を確実に身に付ける手段とすることを目指しています。

なぜ、児童生徒がプログラミングを学ぶ必要があるのでしょうか。これまでは高度な技術を要求される専門職（いわゆるプログラマー）やそれらの職を目指す、大学や専門学校で学ぶ学生がプログラミングを学ぶのが普通でした。それに対し、システムエンジニアやシステムインテグレータという職業に就くための準備として、小学校低学年からプログラミング技術を学ぶ必要があるのでしょうか。

文部科学省主催の有識者会議では、プログラミングに必要なコーディング手法（プログラミング言語や開発環境）は時代により随時変化していくため、目的はコーディング手法を身に付けることではなく、自分で考えてそれを表現しようとする、プログラミング的思考力や行動力の育成が重要だと力説します。その場その場の状況に柔軟に対応できる、時代を超えて普遍的に求められる資質・能力を身に付けることが最大の目的と掲げているのです。

著者らは、重要なポイントはプログラミングやコンピュータを使いこなすための技術（コンピテンシー）ではなく、プログラミングをどう社会に活かすか理解し、プログラミングを通じた問題解決の可能性などの知識（リテラシー）を学ぶことであると考えています。身近な生活でコンピュータが活用されていることに気付く、問題の解決には必要な手順があることを学び、論理的思考を身に付ける。すなわち、各教科で育まれる思考力を基盤としながら、基礎的な

「プログラミング的思考」を身に付けることこそ重要なのではないでしょうか。これは文部科学省の一連の教育改革にも沿った考え方だと信じています。

一方で、教育現場ではコンピテンシーではなくリテラシーという政府の方針に戸惑いがあるのも事実です。プログラミングのマニュアル本や子どもたちでも容易に使えるゲーム作成ソフトやロボット開発環境は提供されても、それらを使ったリテラシー教育の具体策は示されていません。

これまで著者らは、玉川ロボットチャレンジプロジェクト（TRCP）において 15 年以上にわたり、身近な生活におけるロボット活用を通してプログラミングのリテラシーを K-12（幼稚園から高校 3 年生に相当）の児童生徒に伝えてきました。ロボットを題材としたプログラミング教育を指導するなかで、ロボットの機構やプログラミングのアイディアは教わるものではなく、自分で工夫するものである、失敗した場合、原因を分析的に突き止める姿勢を忘れない、自分の作ったロボットをさまざまな人に説明する場を積極的に設ける、等を重視したリテラシー教育はさまざまな進路に進んだ生徒たちにとって貴重な経験になったと考えています。

本書により、人工知能（AI）をリテラシー（教養）として学ぶことにより、社会で人工知能とうまくつきあい、活用していくための知恵を身に付けることができます。そして、その知恵を社会に応用するために必要な技術としてプログラミング技術（コンピテンシー）を学ぶ、コンピテンシーありきの教育カリキュラムではなく、AI リテラシーをベースにしたプログラミング教育が今後ますます必要になってくると信じています。

おわりに

みなさんは、「人工知能（AI）」という言葉を聞くと、どのような印象を抱いていましたか？……新しい技術にワクワクする一方で、きっと、不安感や恐怖感も感じている人もいるのではないでしょうか。AI 技術に対して、「嫌い」「怖い」と思っている人もいるかもしれません。しかし、まずは「うまくつきあうこと」という視点で、AI リテラシーを教養として身に付けることにより、これからの社会の変化とうまくつきあってほしいと願い、本書を執筆しました。

技術の発展にともない、私たちは知らず知らずのうちに AI 技術に関わっています。そこで、「うまくつきあう」ということを考えたときに、まず忘れてはいけないのは、新しい技術は人を助け、人を幸せにするという目的のもとに開発されるもので、それで人を傷つけてはいけないということです。そのうえで、プラスとマイナスの影響を、自分とは異なる視点でも考えてみてください。

また、本書でも扱いましたが、人間の知覚、動物の知覚をよく見てみると、AI への理解が深まるだけではなく、いろいろな面白さを発見することができます。ぜひこの機会に、人間の脳や心のしくみにも興味をもっていただければ幸いです。新しい技術の背景には、かならず基本となるサイエンスがあることに気づくと、基礎研究の大切さや魅力を再認識するきっかけになるかもしれません。

本書をまとめるにあたり、カリフォルニア大学サンディエゴ校の Amy

Eguchi 先生には、米国における K-12 のための AI 教育の観点からご助言をいただきました。なお、本書における Basic 2「『ハンバーガー』をデザインしてみよう」と Basic 4「『マイバーガー』を自由に考えてみよう！」は、マサチューセッツ工科大学・メディアラボのワークショップ教材（Payne, 2019）においてピーナッツバターサンドであった題材を日本の子どもたちにとって身近なハンバーガーへと変更し、説明を加えながら議論を発展させています。また、AI の社会的影響におけるプラスとマイナスの面に関する考察の基本方針を参考にし、そのうえで Chapter 5 では日本の文化や Society 5.0 などの概念との対応を考慮し発展させています。これらは、非常に重要な概念であるという認識のもと、日本と欧米の教育や文化の違いを考慮しつつ、一部題材を参考に、さらに説明を加え発展させるなどして、日本で受け入れやすい形に変更しました。

玉川大学教職大学院の佐藤修先生、玉川大学脳科学研究所の大森隆司先生、玉川学園中高等部の田原剛二郎先生をはじめとする玉川学園の先生方には、玉川学園の K-12 における情報教育・プログラミング教育・AI 教育を議論する過程で、大変貴重なご意見をいただきました。また、町田市立つくし野小学校の佐々木研一先生、百田明弘先生、世田谷区立千歳小学校の石川淳先生をはじめとする多くの小学校の先生方からは、日本の小学校教育の現場における ICT 活用の現状、従来の教育との関連性、多様性とうまくつきあう視点などを学ばせていただきました。

ご協力いただきました皆様に、心より感謝申し上げます。

武藤ゆみ子

○引用・参考文献

p. 21：Touretzky, D., Gardner-McCune, C., Martin, F., and Seehorn, D., "Envisioning AI for K-12：What Should Every Child Know about AI?", *Proceedings of the AAAI Conference on Artificial Intelligence*, 33 (01), 9795-9799 (2019)

p. 30：Messerli, F. H., "Chocolate Consumption, Cognitive Function, and Nobel Laureates", *The New England Journal of Medicine*, 367, 1562-1564 (2012)

Aloys Leo Prinz, "Chocolate consumption and Noble laureates", *Social Sciences & Humanities Open*, 2-1 (2020)

p. 44, 118, 122, 131, 133, 145：Payne, B.H., "An Ethics of Artificial Intelligence Curriculum for Middle School Students", MIT Media Lab, directed by Cynthia Breazeal (2019)

p. 50：Gibney, E., "Google AI algorithm masters ancient game of Go", *Nature* 529, 445-446 (2016)

知覚全般について（p.34 ほか）：

Wolfe, Jeremy M., Kluender, Keith R., Levi, Dennis M., Bartoshuk, Linda M., and Herz, Rachel S., *Sensation & Perception*, Sinauer Associates Inc. (2015)

視覚のしくみについて：

Snowden, Robert, Thompson, Peter, and Troscianko, Tom, *Basic Vision: An Introduction to Visual Perception*, Oxford University Press (2006)

全体に関するもの：

Eguchi, A., Okada, H., Muto, Y., "Contextualizing AI Education for K-12 Students to Enhance Their Learning of AI Literacy Through Culturally Responsive Approaches", [published online ahead of print, 2021 Aug 6]. Kunstliche Intell (Oldenbourg), 1-9 (2021)

NHK for School, https://www.nhk.or.jp/school/（参照 2021 年 8 月 15 日）

総務省統計局「統計学習の指導のために（先生向け）：高等学校における『情報Ⅱ』のためのデータサイエンス・データ解析入門」https://www.stat.go.jp/teacher/comp-learn-04.html（参照 2021 年 9 月 30 日）

○さらにAIを学びたい方への参考図書

中島秀之・浅田稔・橋田浩一・松原仁・山川宏・栗原聡・松尾豊編集『AI事典第3版』近代科学社（2019）

人工知能学会監修、松尾豊編著『人工知能とは』近代科学社（2016）

斎藤康毅『ゼロから作るDeep Learning ― Pythonで学ぶディープラーニングの理論と実装』オライリー・ジャパン（2016）

Andreas C. Muller、Sarah Guido（中田秀基訳）『Pythonではじめる機械学習― scikit-learnで学ぶ特徴量エンジニアリングと機械学習の基礎』オライリー・ジャパン（2017）

吉原幸伸『AI・データサイエンスの基礎』アイテック（2020）

横内大介・大槻健太郎・青木義充『はっきりわかるデータサイエンスと機械学習』近代科学社（2020）

谷口忠大『イラストで学ぶ 人工知能概論 改訂第2版』講談社（2020）

江崎貴裕『分析者のためのデータ解釈学入門―データの本質をとらえる技術』ソシム（2020）

鳥海不二夫『強いAI・弱いAI―研究者に聞く人工知能の実像』丸善出版（2017）

J.フィンレー、A.ディックス（新田克己・片上大輔訳）『人工知能入門―歴史，哲学，基礎・応用技術（Information & Computing 107）』サイエンス社（2006）

吉村功・大森崇・寒水孝司『医学・薬学・健康の統計学―理論の実用に向けて』サイエンティスト社（2009）

太田勝造編著、笠原毅彦・佐藤健・西貝吉晃・新田克己・福澤 一吉著『AI時代の法学入門―学際的アプローチ』弘文堂（2020）

著者紹介

武藤ゆみ子（むとう・ゆみこ）

玉川大学脳科学研究所嘱託研究員。

2004年ドイツ・ミュンヘン大学Institute of Medical Psychologyの附属研究所にてErnst Pöppel教授（心理学、神経科学）に従事。Pöppel教授は、基礎科学と同時に基礎研究に基づく知見を社会へ還元するようなリハビリテーション等の福祉研究活動にも注力していたことがきっかけとなり、人を助ける工学設計に興味をもつ。

帰国後、日本学術振興会特別研究員を経て、2011年東京工業大学大学院総合理工学研究科知能システム科学専攻博士課程修了。博士（理学）。東京工業大学総合理工学研究科物理情報システム専攻、同大学工学院情報通信系を経て、2019年より現職。

岡田浩之（おかだ・ひろゆき）

玉川大学工学部情報通信工学科教授、玉川大学学術研究所先端知能・ロボット研究センター主任。ロボカップ日本委員会会長、日本ロボット学会フェロー、日本赤ちゃん学会常任理事、他。

2000年東京農工大学大学院生物システム応用科学研究科博士課程修了。博士（工学）。（株）富士通研究所、東海大学理学部を経て、2006年より現職。

著書に『なるほど！　赤ちゃん学—ここまでわかった赤ちゃんの不思議』（共著、新潮社、2015年）、『新・人が学ぶということ—認知学習論からの視点』（共著、北樹出版、2012年）、『生き方のヒントをくれる赤ちゃんセンパイ』（監修、ロングセラーズ、2020年）など。

赤ちゃんの発達とロボット知能の融合をテーマに研究している。赤ちゃん研究とロボット、一見関係ないこの二つを繋ぐもの、それは、しなやかな知性の仕組み。人にやさしいロボットを創ることは人を理解する鍵となる、そう信じて研究を続けている。ロボット研究の先に見える人の心、人の心を解き明かしたい。

AIとうまくつきあう方法
—教養としてのAIリテラシ—

2021年12月20日　初版第1刷発行

著　者 —— 武藤ゆみ子
　　　　　 岡田浩之
発行者 —— 小原芳明

発行所 —— 玉川大学出版部
〒194-8610　東京都町田市玉川学園6-1-1
TEL 042-739-8935　FAX 042-739-8940
http://www.tamagawa.jp/up/
振替 00180-7-26665

組　版 ——— 丸善プラネット株式会社
装　丁 ——— 吉林優デザイン室
印刷・製本 —— 創栄図書印刷株式会社

乱丁・落丁本はお取り替えいたします。

ISBN978-4-472-40616-4 C0037